L'ISLAM CONTRE L'ISLAM

ANTOINE SFEIR

L'islam contre l'islam

L'interminable guerre des sunnites et des chiites

GRASSET

Ouvrage paru sous la direction de Jean-Paul Enthoven.

© Editions Grasset & Fasquelle, 2013.
ISBN : 978-2-253-15654-3 – 1re publication LGF

A Isabelle Safa et Joseph Vebret pour toute l'aide qu'ils m'ont apportée, ainsi qu'à Marie-José Sfeir-Tyan pour le temps consacré à la relecture du manuscrit.

Avant-propos

Chaque fois que l'homme s'est senti supérieur à un autre, cela a abouti à une tragédie ; chaque fois qu'un clan, une tribu a convoité les biens et les richesses d'un autre clan ou d'une autre tribu, cela a fini par un massacre.

Chaque fois que la force s'est exprimée, elle l'a fait au détriment de l'individu, des peuples, et du droit ; mais chaque fois que le droit a voulu s'imposer, il s'est montré impuissant face à la force.

Chaque fois que l'homme, dans l'histoire de l'humanité, s'est pris pour Dieu ou s'en est proclamé le porte-parole, ce fut la catastrophe.

Rien n'a changé au cours des siècles.

La révolte arabe qui a déferlé sur le Moyen-Orient au début de l'année 2011[1] s'inscrit dans le cadre de cette confrontation généralisée.

---

1. Les « printemps arabes » commencent en Tunisie avec l'immolation par le feu, le 17 décembre 2010, de Mohammed Bouazizi. Ce jeune vendeur ambulant qui s'était fait confisquer sa charrette et sa balance, s'était ensuite vu refuser tout recours par l'adminis-

Cela a commencé dans la région dès le lendemain de la Seconde Guerre mondiale. Les pays nouvellement indépendants ou en voie de l'être avaient conservé des liens forts avec les Etats colonisateurs, comme la France et la Grande-Bretagne, cette dernière s'appliquant à mettre des bâtons dans les roues de la politique française au Proche-Orient. Après avoir découpé ce Levant pour le plus grand bénéfice des intérêts britanniques, faisant fi parfois des frontières naturelles comme en Irak, la perfide Albion va essayer de susciter des troubles dans les pays tombés dans l'escarcelle française : Liban et Syrie. Mais leurs politiques conjuguées ne laisseront sur place que guerre et destruction : Chypre, Palestine, Irak, Kurdistan…

Les deux grandes puissances de l'époque rêvent sans doute alors d'installer ce qu'elles appelaient pompeusement une démocratie dans ces pays où des peuples restés près de quatre cents ans sous le joug ottoman, sujets de la Sublime Porte, se réfugiaient dans une citoyenneté communautaire, ne se sentant aucunement membres d'un vaste empire. La communauté pouvait être religieuse mais également tribale, clanique ou familiale. Se pose alors la question de l'exportation d'une citoyenneté sur le modèle d'une démocratie occidentale : elle semble au début réussir, notamment au Liban, en Syrie, en Egypte, sans doute en raison de la présence de nombreuses congrégations religieuses qui inculquent aux gens de ces pays connaissances et

---

tration. La contestation éclate ensuite en Egypte à la fin du mois de janvier 2011, avant de s'étendre à la Libye, à Bahreïn, au Yémen et à la Syrie.

savoirs dès le plus jeune âge, à l'école, au collège, au lycée et à l'université. Mais cet enseignement privé, réservé à une élite, a eu du mal à s'ancrer dans les couches modestes des populations, délaissées et souvent marginalisées.

Au lendemain de la Seconde Guerre mondiale, la création de l'Etat d'Israël provoque un véritable tremblement de terre dans la région. Tous les régimes sont ébranlés, que ce soit en Egypte, en Syrie, ou bien entendu en Irak. Il ne s'agit bientôt plus d'exporter la démocratie, mais de défendre les intérêts occidentaux dans l'espace arabe ; intérêts fortement attaqués en raison du soutien occidental au nouvel Etat hébreu. Nasser qui « règne » en Egypte promeut le concept de nationalisme arabe, appelle à l'unité des peuples, à l'unification de la culture… La nationalisation du canal de Suez déclenche la guerre du même nom, menée par deux grandes puissances à bout de souffle. La France et la Grande-Bretagne entraînent avec elles l'armée de ce tout jeune Etat nouvellement créé : Israël, qui se verra désormais gratifié du label d'« excroissance du monde occidental » dans la région.

A la sortie de la guerre de Suez, qu'on appelle encore dans nos manuels scolaires « expédition de Suez », les deux grandes puissances perdent ce titre au profit de deux nouvelles : les Etats-Unis et l'Union soviétique. Le monde est coupé en deux, la Guerre Froide s'installe. Après avoir tenté de mettre sur pied le mouvement des non-alignés avec le Yougoslave Tito et l'Indien Nehru, Nasser se laisse entraîner dans le giron des Soviétiques par ressentiment contre ces Américains qui lui avaient opposé une fin de non-recevoir lorsqu'il avait demandé leur aide afin de construire le barrage d'Assouan, censé augmenter l'arabilité des terres en Egypte. « Tu n'as même pas une goutte de pétrole à nous proposer », lui diront les frères Dulles, Allen, le directeur de la CIA, et John Foster, le chef du Département d'Etat dans l'administration Eisenhower.

Nasser voulait initialement construire un Etat moderne sur le modèle occidental, une République d'inspiration française ; il inaugure son mandat en enfermant tous les Frères musulmans. Mais ce n'est pas lui que choisira l'Occident ; il lui préférera l'Arabie Séoudite, où le Coran fait figure de Constitution et la loi islamique de droit civil et pénal, où une lecture littéraliste du Coran s'impose, mais avec laquelle les Etats-Unis, puissance prépondérante du monde dit « libre », avaient contracté une alliance stratégique. Celle-ci mènera au problème de la déferlante islamiste et salafiste à laquelle nous assistons aujourd'hui. Mais ces courants ne sont animés que par les valeurs défendues par l'école juridique et théologique hanbalite[1], la quatrième école, retenue par le monde sunnite, et dont la doctrine pourrait se résumer à : « après le Prophète, rien de nouveau ». Cependant, les Etats-Unis avaient tout lieu d'être satisfaits : ils contrôlaient désormais le premier producteur mondial de pétrole, et le deuxième avec l'Iran du Chah.

Ce dernier, renversé en 1979 par les mollahs perses, trouvera refuge après moult difficultés auprès de capi-

---

1. Voir note 3, p. 47.

tales occidentales, et en Egypte, celle de Sadate, où il décédera.

L'irruption de l'Iran chiite et perse sur la scène arabe est venue brouiller les cartes. Désormais, disposant d'une diplomatie contestataire bâtie avec la Syrie, la nouvelle Perse a pour la première fois réussi, en instrumentalisant le chiisme, seconde branche de l'islam en termes démographiques (9 % des musulmans dans le monde), à s'implanter dans l'espace arabe ; le chiisme avait enfin son « Vatican ».

Le « Vatican » sunnite, lui, jusque-là dominé par l'Arabie Séoudite depuis les accords égypto-israéliens de Camp David en 1978, se voit aujourd'hui contesté par le Qatar, cette « grenouille qui veut se faire aussi grosse que le bœuf » pour exister ; par l'Egypte, également, dont le président élu, puis démis pas l'armée, appartenant aux Frères musulmans annonce à qui veut l'entendre le retour de son pays sur la scène arabe ; et enfin par la Turquie, où les fantasmes d'une renaissance de l'Empire ottoman habitent les rêves les plus fous des dirigeants d'Ankara.

Aujourd'hui, et ce depuis 1992, l'affrontement fratricide entre les deux branches de l'islam a ressurgi. Et c'est à une véritable guerre mondiale que nous assistons, qui oppose le sunnisme au chiisme.

Ce ressentiment – le mot est faible – remonte à l'an 632, date du décès du prophète Mouhammad[1]. La bataille de la succession est ouverte. Et malgré

---

1. Pour l'ensemble de l'ouvrage, la graphie « Mouhammad », plus proche de son équivalent arabe, a été préférée, pour désigner le Prophète, à Mahomet ou Mohammed.

Mouhammad et le Coran, socle commun au sunnisme et au chiisme, il s'agit en réalité de deux religions profondément différentes qui ont engagé les croyants sur des chemins totalement séparés.

Les passions se sont ravivées en 1992, lorsque le commandant Massoud, figure mythique de la résistance afghane à l'Armée rouge[1], magnifié par les intellectuels occidentaux qui voyaient en lui un parangon de la démocratie, a attaqué la tribu à 90 % chiite des Hazaras[2] au centre du pays, massacrant six mille personnes et violant trois mille femmes en une semaine, ce qui n'a pas manqué d'attiser les rancœurs et cette haine tenace des chiites à l'égard des sunnites[3]. Il faut rappeler, s'il en est besoin, que Massoud défendait l'ethnie tadjike[4]

---

1. L'Afghanistan est envahi par l'Union soviétique en 1979. Les Etats-Unis, toujours dans une logique de Guerre Froide et d'endiguement, arment et financent alors une résistance locale, les *moudjahidin* (combattants), qui se bat au nom de l'islam.

2. Les Hazaras vivent au centre de l'Afghanistan où ils se concentrent dans la province de Bâmyân. Ils représentent 12 à 13 % de la population afghane et parlent un dialecte persan. Des témoignages occidentaux rapportent dès le XIXᵉ siècle que les Hazaras sont opprimés, voire tenus en esclavage par d'autres ethnies.

3. Les dissensions croissantes au sein de la résistance à l'invasion soviétique aboutissent à une guerre civile pour le contrôle de Kaboul (1992-1995). Certaines milices chiites combattent alors contre les hommes de Massoud. C'est dans ce contexte que l'ouest de la capitale, majoritairement peuplé de Hazaras, est lourdement bombardé et que des violences sont commises contre les populations civiles.

4. Les Tadjiks sont un peuple d'Asie centrale réparti entre le Tadjikistan, l'Ouzbékistan, l'Iran, le nord-est de l'Afghanistan et

alors qu'en face, tous les autres groupes étaient issus de l'ethnie pachtoune[1], l'ethnie la plus importante non seulement en Afghanistan, mais également au Pakistan.

Quelques mois plus tôt, une réunion tournait au tragique : les Américains annonçaient en effet leur retrait d'Afghanistan. Un homme se sent trahi : le sunnite Oussama Ben Laden, que les émissaires de l'Oncle Sam ont soutenu depuis dix ans, qu'ils ont armé et aidé à s'organiser, se transforme désormais en un ennemi redoutable. Il considère, plus encore que les autres clans ou fractions afghans, que les Américains sont des traîtres qui l'abandonnent. Il n'aura pas tort : pendant quatre ans, jusqu'à la victoire finale des Talibans, le pays est en proie à une guerre civile sans précédent. Ben Laden, qui avait fait de l'Afghanistan une sorte de laboratoire pour ses idées et son ambition de recréer un califat islamique, voit tous ses rêves partir en fumée. C'est dans le cadre de cette guerre civile que le commandant Massoud opprimera les chiites.

La guerre entre les deux branches principales de l'islam, guerre entre deux islams au nom de divergences et de différences dogmatiques, est désormais rallumée et ne s'éteindra pas de sitôt. On assiste chaque semaine

le nord-est de la Chine. Ils parlent un dialecte persan (le dari) et sont de confession sunnite.

1. Les Pachtounes sont les fondateurs de l'Afghanistan indépendant au XVIIIᵉ siècle. Ils imposent leur domination aux autres populations au point que le terme « pachtoune » s'applique officiellement à tous les habitants du pays depuis 1919. Ils sont majoritairement sunnites.

au Pakistan à des attentats contre des lieux de culte[1] appartenant à l'une ou l'autre branche. Cette guerre se déplace en Inde où s'affrontent également sunnites et chiites, en Irak où la guerre civile qui ne dit pas son nom est aussi un combat entre les deux appartenances, au Liban et à Bahreïn, où la révolte est suspectée d'être plus une rébellion de chiites que d'affamés de liberté. Cela dit, les chiites de Bahreïn, citoyens de seconde zone[2], se sentent aujourd'hui le courage de relever la tête depuis que l'Iran est derrière eux. L'affrontement se propage au Yémen, où les minorités chiites, soutenues et armées par l'Iran, tiennent tête au pouvoir central et à l'armée séoudienne en 2009 ; en Syrie où, à l'inverse, les troubles pourraient bien être téléguidés par des sunnites contre le pouvoir alaouite, et donc chiite, en place ; il s'étend même à l'intérieur de la Chine, où une cinquantaine de millions de musulmans se concentrent dans le Xinjiang et le Ningxia, le pays des Hui, dont une petite minorité de chiites[3].

Pourquoi cette guerre ? D'où vient-elle ? Serait-ce du fait que les chiites reprochent aux sunnites d'avoir

---

1. Les chiites représentent près de 20 % des musulmans pakistanais. Entre 1990 et 2007, les heurts entre chiites et sunnites au Pakistan ont provoqué la mort d'environ 4 000 personnes.

2. La conquête de Bahreïn au XVIIIe siècle par la dynastie sunnite des Al-Khalifa, encore au pouvoir aujourd'hui, s'est traduite par la réduction en quasi-servage des populations chiites de l'émirat. Ce clivage n'a jamais vraiment été comblé.

3. Sur les Chinois de confession musulmane, voir « L'islam en Chine, hier et aujourd'hui », 1993, consultable sur le site « Chine informations », « http://www.chine-informations.com ».

assassiné le petit-fils du Prophète ? Les chrétiens ont bien accusé les Juifs pendant plus de deux mille ans d'être un peuple déicide… Ils ne se font pas (plus) la guerre pour autant.

Les raisons sont nombreuses et peuvent s'articuler autour de trois socles, religieux, ethnique et stratégique ou strictement politique, qui peuvent remettre en question toute la stabilité de l'islam.

Pour comprendre ce qui se passe aujourd'hui, il faut se replonger dans l'histoire de ces deux branches de l'islam. L'islam est éclaté depuis la disparition du califat en 1924, aboli par Atatürk : il n'y a plus aucune autorité, Commandeur des croyants chez les sunnites, qui soit réellement capable d'agir sur le dogme et de prendre la responsabilité de l'imposer aux musulmans du monde entier, à l'exception du roi du Maroc, originellement sultan chérifien[1] sunnite et dont l'autorité se limite au seul Maroc.

Sur le milliard deux cents millions de musulmans que compte la planète, il y a 90 % de sunnites et 9 % de chiites. Nous ne parlons là que des chiites duodécimains[2]. Mais qui sont-ils ? Car le 1 % restant est

---

1. En arabe le mot *chérif*, qui signifie « noble », désigne un descendant de la famille du Prophète.
2. Les chiites reconnaissent une lignée d'imams – c'est-à-dire de guides considérés comme infaillibles et impeccables –, depuis Ali, gendre de Mouhammad. Dans l'eschatologie chiite, l'un de ces imams, « occulté » ou caché, doit revenir pour annoncer la fin des temps. Pour les chiites duodécimains il s'agit du douzième imam, tandis que pour les chiites septimains (minoritaires) c'est le septième.

constitué des chiites septimains, des kharijites, des ismaéliens et d'autres courants minoritaires de l'islam, non reconnus par le sunnisme. L'islam est inséparable de la constitution de la sphère politique au Moyen-Orient. Lorsque la dynastie des Séfévides choisit le chiisme comme religion d'Etat dans l'Empire perse au XVe siècle, c'est bien pour séparer les Perses des Arabes. Ce sont les prémices de la géopolitique liée à la religion. Et c'est fondamental.

Bien que la notion de clergé n'existe pas dans l'islam des origines, les chiites vont en instaurer un, extrêmement hiérarchisé et qui ne manque pas de rappeler celui de l'Eglise catholique.

Aujourd'hui, le prisme religieux est indispensable pour avoir une lecture un tant soit peu complète des événements qui secouent le Moyen-Orient et le monde musulman. Sans cet élément, notre lecture se réduirait à une vision occidentale tronquée de l'histoire qui se déroule sous nos yeux et dont les dessous sont souvent, sinon toujours, plus importants que le factuel relaté par les médias.

I

AUX ORIGINES DU CHIISME

1

La mort du Prophète
et les premiers califes

En mars 632, Mouhammad revient à La Mecque pour conduire le pèlerinage, dont il fixe les rites. C'est la dernière fois qu'il reverra sa ville natale. De retour à Médine, il souffre de fièvre. A l'été il est contraint de s'aliter, et meurt sous les yeux de son épouse Aïcha.

La mort du Prophète pose tout de suite la question de la succession. Soudainement tombé malade, Mouhammad n'a en effet pas eu le temps de désigner formellement son successeur. Trop absorbé par les conquêtes militaires et par la prédication, il n'a préparé ni les institutions ni les hommes qui devaient poursuivre son œuvre. « Vous êtes les mieux à même de connaître vos affaires ici-bas », disait-il. Le Coran ajoute : « Mouhammad n'a jamais été le père de l'un d'entre vous. » (Sourate 33, verset 40.) Ce qui voudrait dire que la charge dynastique est totalement absente.

Bien avant la scission entre chiites et sunnites, il était évident que ce vide juridique et politique serait fatal à la communauté (*Oumma*), en pleine expansion : l'absence d'institution politique ou spirituelle capable de gérer les problèmes de territorialité du pouvoir dans les différentes provinces conquises se fait cruellement ressentir. Certes, les musulmans disposent du Coran et de la *Sunna*[1], mais ces deux instruments s'avèrent inutiles lorsque la parole est donnée aux armes. Cette situation sera à l'origine des grandes divisions au sein de l'islam : sunnites et chiites deviendront frères ennemis et irréconciliables.

Même si la légende les magnifie – on appelle les quatre premiers califes *rashidoun*, c'est-à-dire « bien guidés » –, les compagnons de Mouhammad vont se battre pour lui succéder. Les querelles de pouvoir ont tôt fait de l'emporter sur l'unité de la communauté. Ainsi, de la mort du Prophète à l'assassinat d'Ali en 661, les batailles fratricides entre musulmans feront plus de victimes que les conquêtes de nouveaux territoires.

Assurément, le plus proche parent de Mouhammad est Ali bin Abi Taleb[2], son cousin et son gendre, qui reçoit toutes ses confidences. Parmi les musulmans, deux approches s'opposent : les uns militent pour le choix d'un successeur au sein de la famille du Prophète, ceux que l'on appelle les « gens de la maison » (*Ahl al-Beit*). Ces derniers se rangent derrière Ali pour réclamer le califat au nom du seul mâle de la famille. L'autre partie de la communauté, plus importante, considérant qu'Ali est encore

---

1. La *Sunna* est la tradition. Elle comprend l'ensemble des faits, paroles et usages de Mouhammad, récits oraux que l'on appelle *hadiths*.
2. L'usage veut que l'on désigne les individus par leur filiation : *bin* ou *ibn* signifie « fils de », *abou* signifie « père de ». *Banu*, « les fils de », désigne par extension un clan ou une tribu.

jeune et doit attendre son tour, entend respecter les traditions ancestrales, c'est-à-dire la cooptation du plus digne, du plus courageux, du plus apte à diriger cette communauté qu'est devenue la tribu. Ceux-ci l'emporteront.

La succession est néanmoins controversée : certains estiment que l'homme désigné par le Prophète pour dire les prières durant les derniers jours de sa vie doit être désigné calife, et dans ce cas Omar ibn Khattab était le mieux placé. D'autres considèrent qu'Abou Bakr al-Siddiq, parce qu'il appartient à la tribu des Khoreichites, très puissante à La Mecque, est le plus à même de prendre le pouvoir. Enfin il y a les amis d'Ali. Celui-ci, pour des raisons obscures, ne participe pourtant pas à la réunion au cours de laquelle Abou Bakr est proclamé calife. On l'a dit occupé par les préparatifs de l'inhumation de Mouhammad, mais ce prétexte dissimule peut-être chez lui une certaine amertume de ne pas s'être vu reconnaître comme le successeur naturel. Ce qui pourrait expliquer qu'Ali ne prête allégeance au calife que six mois après sa désignation. Il invoque alors deux raisons pour justifier ce retard : sa femme mourante dont il devait s'occuper, et la promesse faite au Prophète de préparer la version officielle du Coran.

Abou Bakr (v. 570-634) est l'ami le plus fidèle de Mouhammad, et le père d'Aïcha, l'épouse préférée du Prophète, appelée à jouer un rôle politique au moment de la succession. Abou Bakr est désigné calife (*khalifat*), c'est-à-dire « successeur », en raison de cette amitié et de son grand âge. Durant ses deux années de califat, il s'illustre en matant les rébellions des tribus et en les remobilisant, car elles étaient déçues de voir le Prophète mourir – certains l'avaient même divinisé – et avaient abjuré l'islam, refusant de payer ce qu'elles considéraient comme un impôt : la *zakat*, aumône régulière et légale, troisième obligation du musulman. Certains se demandaient en effet pourquoi le Prophète n'avait pas été averti par Allah de sa mort prochaine, de façon à organiser sa succession. A ceux-là, Abou Bakr rappelle un verset coranique : « Mahomet n'est qu'un apôtre. Avant lui, les autres apôtres sont passés. Eh quoi ! S'il meurt ou s'il est tué, retournerez-vous sur vos pas ?[1]. »

Durant son califat de deux ans, Abou Bakr s'ingénie à amoindrir l'influence d'Ali et de la famille du Prophète, qui ne peut assurer sa défense bien que toujours très populaire parmi les croyants. Durant la vie du Prophète, lui-même et ses proches parents ne pouvaient pas recevoir la *zakat*. Ils étaient néanmoins habilités à recevoir une partie du *khums*, le cinquième du butin de guerre, et une partie du *fay'*, les biens qui tombaient aux mains des musulmans en dehors de l'effort de guerre. Abou Bakr procède à la confiscation de ces biens. Les Banu Hashim, le clan de Mouhammad, protestent en vain contre cet état de fait en refusant de prêter allégeance à Abou Bakr pendant quelques mois. Ainsi, dès la mort du Prophète, des dissensions fondamentales vont créer des rivalités, des haines et des conflits entre la famille de Mouhammad représentée par Ali, et les autres tribus qui faisaient confiance à Abou Bakr.

Abou Bakr n'aura pas le temps de s'imposer à la *Oumma* dans son ensemble, même s'il a considérable-

---

1. Cité par Anne-Marie Delcambre, *Mahomet, la parole d'Allah*, Gallimard, 1994, p. 114.

ment affaibli Ali et sa famille. Il aura cependant réussi à aplanir les désaccords entre Mecquois et Médinois et à conquérir toute la péninsule Arabique.

A sa mort en 634, Omar ibn Khattab (584-644), lui aussi beau-père du Prophète[1], devient calife. Eloigné du pouvoir, Ali doit accepter le califat d'Omar, désigné par Abou Bakr comme successeur. Bien qu'Omar ait épousé la fille d'Ali, Omm Khulthum, les relations entre les deux hommes étaient mauvaises : Ali n'appréciait pas le principe d'organisation du *dîwân* (le Conseil royal), car il estimait que tous les biens acquis au cours des conquêtes devaient être partagés entre les combattants.

Ce Mecquois redouté pour sa violence est d'abord un farouche adversaire de Mouhammad. Exaspéré par la conversion à l'islam de sa propre sœur et du mari de celle-ci, il les surprend en pleine lecture du Coran et les agresse à l'épée. Mais voyant le sang répandu il s'en repent, puis demande à lire le texte, qui le convainc. Calife, Omar se révèle être un grand capitaine. Il lance l'expansion de l'islam dans trois directions : vers l'Afrique, terme qui désignait la côte algéro-tuniso-marocaine d'aujourd'hui, le Proche-Orient[2], et, au-delà, le monde indien où apparaîtra au IXe siècle le sultanat

---

1. Mouhammad avait épousé sa fille Hafsa.
2. La Syrie est le premier pays conquis, suivi de la Palestine avec la prise en 636 de Jérusalem, où vient prier le calife Omar ; la dernière place byzantine, Césarée (Qaysariyya en arabe), tombe en 640. La conquête de l'Iran est entreprise en 642 à partir de bases établies en Irak et s'achève moins de dix ans plus tard. C'est également au début des années 640 que l'Egypte commence à être annexée à l'empire arabo-musulman.

de Delhi. Omar invente l'art militaire musulman, mettant à profit la tradition de la razzia pratiquée par les Arabes : de petites unités en position de commandos, le harcèlement de l'ennemi… Il remportera énormément de succès. Mais Omar est assassiné en 644. Ali fait alors partie du Conseil désigné pour lui choisir un successeur mais il n'est pas élu, car il ne s'engage pas à continuer l'œuvre des premiers califes.

Après Omar ibn Khattab, c'est donc Othman ibn Affan (579-656) qui est coopté pour devenir le Commandeur des croyants. Othman appartient au clan des Banu Umayya, qui régnait à La Mecque et qui avait tenté d'en chasser Mouhammad et ses partisans, avant de mener les batailles des Mecquois contre les musulmans réfugiés à Médine[1]. Ils n'embrassent la nouvelle religion qu'en voyant les Mecquois adopter l'islam de plus en plus nombreux, quelques mois avant la mort du Prophète. Pour pérenniser son influence politique, Othman exerce un pouvoir personnel et clientéliste en plaçant ses proches à tous les postes importants, notamment celui de gouverneur de Damas, qui échoit à son parent Mo'awiya. Ce dernier dispose déjà d'une armée, lève l'impôt et bat monnaie. Othman procède à une véritable révolution en rassemblant par écrit l'ensemble des 114 sourates du Coran. Abou Bakr avait déjà entrepris de convoquer pour cela tous les compagnons du Prophète encore en vie, et confié à Hafsa, une des épouses de Mouhammad qui savait lire et écrire, la tâche de consigner les sourates

---

1. Persécuté à La Mecque, Mouhammad émigre en 622 avec ses partisans vers la ville de Yathrib, qui prend alors le nom de Médine (La Ville). C'est l'Hégire (émigration).

de tous les récitants. Othman soumet le manuscrit de Hafsa à des copistes ; parallèlement, il fait détruire toutes les versions concurrentes pour couper court à l'apostasie de nombreuses tribus depuis la mort du Prophète. Othman ne veut qu'une seule compilation du texte sacré, la sienne, qui est toujours en usage aujourd'hui.

Sitôt élu, le troisième calife se trouve en conflit avec Ali qui lui reproche de ne pas appliquer strictement les peines coraniques. Son entreprise d'unification du Coran agace par ailleurs le gendre de Mouhammad, qui avait lui-même promis au Prophète de mener à bien cette mission. Enfin, la version du Coran imposée par Othman soulève de nombreuses questions, notamment celle de l'omission d'un passage dans lequel Mouhammad désignerait Ali comme son successeur...

Durant tout ce temps, Ali et ses partisans rongent leur frein. Ali voudrait mettre fin au califat d'Othman, mais refuse de recourir à la violence – ce qui à l'époque relève de la gageure : cette méthode va à l'encontre de son objectif de rassemblement de tous les musulmans, comme au temps du Prophète. Il se fait cependant le porte-parole des contestataires, acceptant que des pressions militaires soient exercées contre le calife. Lorsque Othman est assassiné en 656, Ali est donc soupçonné d'avoir commandité le meurtre. Il l'est d'autant plus que le jour de l'assassinat, ses fils Hassan et Hussein montaient la garde autour de la résidence du calife.

Malgré tout, il est coopté calife, vingt-quatre ans après la mort de Mouhammad. Les cinq années de son califat seront une époque de troubles à l'origine du clivage entre sunnites et chiites.

2

Ali, le quatrième calife :
des guerres fratricides

Ali, fils d'Abou Taleb, un oncle paternel de Mouhammad, serait le premier (avec Khadidja[1], la première épouse de Mouhammad) à s'être converti à l'islam alors qu'il n'avait que dix ans. Il se marie avec Fatima, la fille de Mouhammad. A la mort de son beau-père en 632, il est tout juste trentenaire. En l'absence de règles de succession et de répartition des pouvoirs entre la famille directe du Prophète et ses fidèles, un grand nombre des disciples souhaitaient qu'Ali prenne le pouvoir. Mais celui-ci ne fait preuve ni d'opportunisme ni de combativité : se considérant comme le successeur naturel de Mouhammad, il ne se préoccupe ni des manœuvres

---

1. La pauvreté de Mouhammad l'a dans un premier temps condamné au célibat, lorsqu'il est remarqué par une riche veuve cherchant un homme de confiance pour convoyer ses caravanes de La Mecque vers la Syrie. En dépit de leurs différences de condition et d'âge, elle vainc les réticences de sa parentèle pour épouser son employé en 595. Tant que vit Khadidja, Mouhammad lui est fidèle. Comme elle ne peut avoir d'enfants, il adopte son cousin Ali et Zayd, un esclave qu'il affranchit.

en coulisses, ni d'élaborer une stratégie politique... Ali, qui se consacre à la préparation des funérailles de Mouhammad, estime que ce pieux devoir passe avant la succession. Abou Bakr, plus pragmatique, considère que l'élection d'un calife n'a rien à voir avec la vie religieuse et n'a aucune dimension transcendante.

Ces divergences, en partie de nature théologique, expliquent le fossé qui s'est creusé entre Ali et Abou Bakr. A la mort du Prophète, l'idée selon laquelle son message était d'ordre divin faisait consensus pour l'ensemble des musulmans, pour qui ce message avait été transmis par Dieu à Mouhammad par l'intermédiaire de l'ange Gabriel. Les divergences apparurent dès lors que certains estimaient que la divinité cessait d'exister à la mort du Prophète, et que la tradition tribale devait par conséquent prévaloir : dans ces conditions, il fallait coopter celui qui répondait le mieux aux exigences de Mouhammad en termes de dignité, de courage et de sagesse, en l'occurrence Abou Bakr. En revanche, si la légitimité divine continuait à s'appliquer, le meilleur candidat était Ali, converti de la première heure et atta- ché à la propagation du message religieux.

Avant de prendre le pouvoir, et pour montrer que sa légitimité était fondée, Ali décide de consulter les musulmans rassemblés dans la mosquée du Prophète. La majorité des compagnons de Médine considère alors qu'Ali est le mieux à même d'assumer le califat au moment où de sérieuses dissensions sont apparues à Koufa (en Irak) et dans d'autres villes. En juin 656, Ali devient donc calife sans avoir présenté de projet politique ou de programme de gouvernement, si ce n'est celui de permettre à la famille du Prophète de reprendre en mains les rênes du pouvoir qu'Abou Bakr lui avait arraché. Il est d'abord bien reçu, ne suscitant ni boycott ni hostilité violente. Même Mo'awiya, gouverneur de Damas et parent du précédent calife, ne s'oppose pas à sa nomination dans un premier temps, bien qu'un désaccord existe déjà sur la sentence à prononcer contre les assassins d'Othman.

L'élection d'Ali est cependant un choix qui est loin de faire l'unanimité, même si ce quatrième calife est considéré comme un homme brave, droit, vertueux, d'une grande éloquence – il a laissé un ouvrage intitulé *La Voie de l'éloquence* – et très scrupuleux dans la gestion des affaires. Cette élection ne pouvait en effet que remettre en cause la légitimité du califat de ses prédécesseurs, qui n'appartenaient pas à la famille du Prophète. Elle donnait en outre au conflit entre Ali et ses opposants une forte dimension religieuse.

Les tensions sont alors très vives, d'autant que les partisans d'Ali ont attendu pendant vingt-quatre longues années. Dès sa prise de pouvoir, Ali doit, de plus, faire face à de multiples impératifs : d'abord faire régner la paix aux frontières, puis assurer la stabilité politique dans le califat, et enfin identifier les assassins d'Othman pour les châtier.

C'est à l'hiver 656 qu'éclate la première guerre fratricide entre musulmans. La ville de Koufa repousse le gouverneur envoyé par Ali, lui préférant celui déjà en fonctions. Ces rebelles au pouvoir central décident alors de se rendre à Bassorah, où ils espèrent trouver l'argent et les hommes nécessaires pour mener une guerre contre

le calife. Aïcha accepte alors de se joindre à l'expédition. L'épouse préférée du Prophète déteste en effet
Ali, depuis qu'il a laissé entendre qu'elle n'aurait pas
été d'une fidélité à toute épreuve. L'affaire remonte à
plusieurs décennies, au cours d'un voyage en caravane :
Aïcha était descendue de son palanquin pour satisfaire un
besoin naturel et, distancée par la caravane, s'était retrou-
vée seule. Le jeune et beau Safouane la raccompagne
alors jusqu'à la caravane, où l'on commence à jaser en les
apercevant… Mouhammad en prend ombrage. Voilà que,
pour son infortune postérieure, Ali a le malheur de lui
dire à ce moment-là : « Elles sont nombreuses, prends-en
une autre. » Aïcha lui en a tenu rigueur toute sa vie[1].

Outre cette rancœur tenace, qu'elle a enfin une
occasion de satisfaire, l'épouse du Prophète a dans
sa parentèle des candidats à la succession d'Othman :
ses beaux-frères, Talha, un cousin de son père marié
à sa jeune sœur, et Zubaïr, marié à sa sœur la plus
âgée. Mais ces derniers ont prêté allégeance au calife
immédiatement après sa cooptation. En se retournant
contre lui, ils enfreignent donc le pacte établi et doivent
prétendre, pour s'en justifier, qu'on les avait contraints
à accepter Ali par la violence. La vérité ne sera connue
que plus tard. En attendant, le conflit est ouvert entre
Ali et Aïcha. Chacun d'eux rassemble ses hommes.
Ali, conscient qu'il ne doit pas rester isolé à Médine, se
met en route en direction de l'Irak où couve la sédition.

---

1. Mouhammad aurait cependant reçu de Dieu l'assurance de
l'innocence de son épouse, et recommande, à la suite de cet épisode, que les accusations d'adultère soient à l'avenir confirmées
par quatre témoins pour être recevables.

Dans le même temps, Aïcha et les insurgés s'efforcent de convaincre les populations de prendre part à l'insurrection. Ils disent agir dans le but de restaurer la loi et de rétablir l'ordre social, ce qui signifie à leurs yeux venger Othman et remettre le pouvoir à un calife régulièrement élu. Les réactions sont mitigées.

Lorsque Ali arrive dans les environs de Bassorah, des pourparlers sont engagés avec les insurgés. Mais, très vite, les armes s'imposent. Une des hypothèses est qu'Ali, connaissant les assassins d'Othman, aurait promis de ne plus les protéger ; ceux-ci, inquiets de leur sort, auraient subitement engagé la bataille afin de ne pas tomber entre les mains des vengeurs du calife. Dans cette bataille, les combattants des deux camps appartiennent souvent aux mêmes tribus, aux mêmes clans, et parfois aux mêmes familles : il s'agit de la première guerre civile entre musulmans.

C'est la bataille dite « du Chameau », ainsi nommée parce que Aïcha assiste aux combats du haut d'un chameau protégé par une sorte d'armure, dans un palanquin dont la couverture a été renforcée par des plaques de fer. A la fin de la bataille, Aïcha est indemne, alors même que les combats autour du chameau ont été particulièrement violents. La victoire revient toutefois à Ali, dont les soldats parviennent à couper les jarrets de l'animal, l'obligeant à se coucher sur le flanc avec son précieux fardeau. Talha, atteint d'une flèche, s'est retiré dans une maison de Bassorah où il ne tarde pas à mourir, et Zubaïr, qui n'était plus convaincu du bien-fondé ni du succès de sa cause, s'est éloigné du champ de bataille après une conversation avec Ali. Poursuivi, il est finalement tué sans pouvoir opposer la moindre résistance à ses meurtriers.

Il est impossible de connaître précisément le nombre des participants à la bataille du Chameau, ou celui des morts. On sait toutefois qu'Ali a pu rassembler environ quinze mille hommes. Aïcha est faite prisonnière, mais traitée avec respect. Ali décide toutefois qu'elle doit retourner à Médine et se montre intraitable sur ce point. A tous les insurgés il accorde l'*aman* (garantie de protection), et certains des hauts personnages compromis dans la rébellion peuvent se rendre en Syrie pour rejoindre Mo'awiya. Mais cette mansuétude d'Ali suscite le doute parmi ses hommes : certains de ses partisans ne comprennent pas que leurs ennemis soient relâchés ; ils protestent surtout contre l'interdiction d'emmener en captivité les femmes et les fils des vaincus et de s'emparer de leurs biens (à l'exception des objets trouvés sur le champ de bataille), comme le veut l'usage des razzias.

Ali commet donc une erreur politique en sous-estimant le mécontentement de ses hommes. Certains parmi eux réclamaient une vengeance, le châtiment d'ennemis dont la défaite avait imposé beaucoup de sacrifices et de morts dans leur camp. Les kharijites en feront plus tard un chef d'accusation contre Ali.

A l'issue de la bataille du Chameau, le calife veut quitter Médine et déplacer la capitale de l'islam. Il a besoin de s'installer au centre des territoires conquis afin de contrer le cas échéant l'avancée en Irak de Mo'awiya, qui n'a pas sincèrement accepté sa nomination. Il choisit pour cela la ville de Koufa. Ali gouverne alors la totalité du califat à l'exception de la Syrie.

Toujours à la poursuite des assassins d'Othman, du moins officiellement, puisqu'il est accusé par certains de les connaître, Ali fait appel à Marwan bin al-Hakim, le premier secrétaire d'Othman, présent lors de son assassinat. Mais celui-ci a quitté Médine pour s'installer à Damas auprès de Mo'awiya. L'autre témoin du crime est Nayla, l'épouse d'Othman. Mais celle-ci, portant le *hijab*, ne pouvait identifier les assassins. Traumatisée, elle se souvient seulement que Mohammad bin Abi Bakr était dans la maison d'Othman et qu'il était parti avant le meurtre. Les chances sont donc faibles de retrouver les tueurs. Et les opinions divergent toujours quant à la position d'Ali à leur égard, certains restant convaincus qu'il les connaissait et leur avait promis l'impunité.

Mo'awiya, à qui son influence permettait de prétendre à la succession d'Othman, qui était de surcroît son parent, reprend l'accusation et la thèse d'une protection accordée par le nouveau calife aux meurtriers de son prédécesseur. Il accuse même Ali d'avoir commandité l'assassinat. Dans le même temps, les anciens clients d'Othman lancent un appel à l'insoumission. Mo'awiya accueille à Damas toute sa famille à l'exception de Nayla, l'épouse du calife assassiné, immobilisée en raison des blessures qu'elle a subies au moment du meurtre[1]. Le gouverneur de Damas se fait remettre comme autant de pièces à conviction la chemise tachée de sang d'Othman et les doigts tranchés de sa femme Nayla, qu'il expose sur le pupitre du *minbar* (chaire ou tribune) de la mosquée de Damas, soulevant ainsi l'indignation de la population musulmane de Syrie. Par la suite, il reçoit Sahl bin Hanif, le messager d'Ali, venu

---

1. Elle a eu des doigts tranchés en cherchant à s'interposer entre son mari et ses assassins.

pour tenter de disculper le calife. Mais l'entretien tourne court. Pire : l'homme est retenu en otage et Mo'awiya refuse tout contact avec Ali durant trois mois. Puis il envoie son propre messager qui remet un document à Ali sur lequel est apposée la mention suivante : « Au nom d'Allah le miséricordieux plein de miséricorde. » Cette usurpation des formules réservées au calife est une insulte pour l'autorité d'Ali, et une véritable déclaration de guerre. Le messager dit également à Ali que cinquante mille cheikhs en Syrie portent le deuil d'Othman et sont déterminés à se battre jusqu'à ce que les assassins de ce dernier leur soient remis. Réponse d'Ali : « Allah sait que je ne suis pas responsable de la mort d'Othman. Je jure par Allah que les assassins se sont enfuis. »

Ali a toujours pour objectif de reconstituer l'unité du califat. Pour cela, il doit commencer par persuader Mo'awiya de reconnaître son autorité. Pour ne pas faire couler le sang entre les musulmans, le fils aîné du calife, l'imam Hassan, lui conseille d'abandonner le pouvoir la conscience tranquille. Ali refuse et exige que toutes les provinces lui prêtent allégeance. Mais le scandale provoqué par l'assassinat d'Othman continue d'alimenter une très forte opposition à Ali. Et Mo'awiya refuse ouvertement de se soumettre.

Aucun accord, aucun compromis n'est donc possible avec le gouverneur de Damas, qui rejette toutes les tentatives d'arrangement. La chemise tachée de sang d'Othman et les doigts tranchés de Nayla sont toujours exposés dans la mosquée Masjid de Damas. Ali multiplie les missions de paix, tandis que Mo'awiya reste inflexible, exigeant qu'on lui livre les meurtriers d'Othman en vertu

d'un verset coranique qui accorde le droit de vengeance
au proche parent dans le cas où un croyant est injuste-
ment tué (sourate 17, verset 33). Ali, en revanche, estime
qu'Othman a été tué en raison de ses actes arbitraires et
que la vengeance ne doit donc pas être exercée. Il soutient en outre que le calife assassiné ne doit et ne peut
être vengé tant que l'ordre public n'est pas rétabli.

Le prestige d'Ali en tant que calife est alors en jeu.
En réalité Ali s'en soucie peu à titre personnel, craignant
surtout l'anarchie dans le califat et les appels à la rébellion de ses détracteurs. Les négociations avec Mo'awiya
étant bloquées, il n'y a d'autre issue que le conflit armé.
Il éclate à l'été 657, un an à peine après la première
guerre fratricide menée par les partisans d'Aïcha.

La bataille a lieu à Siffin, près de l'actuelle ville syrienne
d'Al-Raqqa, et réunit près de 70 000 hommes. Au huitième jour des combats, alors que les troupes de Mo'awiya
sont en difficulté et que la victoire est presque entre les
mains d'Ali, le gouverneur de Damas trouve un subter-
fuge pour mettre son adversaire en difficulté : il ordonne
à ses troupes en première ligne d'accrocher des pages
du Coran à la pointe de leurs lances afin de provoquer
une trêve. Il signifie ainsi qu'il accepte de s'en remettre
aux indications du Coran pour nommer le vainqueur. Ali
reconnaît la ruse de son ennemi. Certain de sa mauvaise
foi, il ne peut pourtant empêcher l'arrêt des combats. Ses
partisans mécontents lui représentent qu'il n'y a aucune
raison d'accepter une trêve, dans la mesure où les armes
leur ont été favorables jusque-là. « Tu es, lui disent-ils,
non seulement le calife Commandeur des croyants, mais
tu as un lien organique avec le Prophète, tu es le père de

ses petits-enfants en raison de ton mariage avec Fatima,
la fille chérie du Prophète. Tu n'as pas le droit d'accepter
cet arbitrage temporel, ajoutent-ils. Et si tu le fais, nous
quittons la communauté. » A ceux qui plaident que Dieu
est sans doute du côté d'Ali, celui-ci réplique : « Celui
qui nous lèse par Dieu, nous, nous aurons été lésés pour
Dieu » – et il accepte un arbitrage temporel.

Cette concession lui est reprochée par certains de
ses partisans, qui font le choix, comme ils l'ont dit, de
quitter la communauté ; les troupes de Mo'awiya voient
également des combattants sortir de leurs rangs. Sortir,
en arabe, se dit *kharaja* ; d'où leur nom de kharijites.
C'est la première dissidence de l'islam. Les kharijites
constituent par la suite un groupe politique et théologique. Ils se présentent comme des rigoristes, et exigent
une observance stricte de la loi[1]. Dans le conflit entre
Ali et Mo'awiya, ils revendiquent une position symbolique selon laquelle « le jugement n'appartient qu'à
Dieu ». Pour la défendre, ils se fondent sur un verset
du Coran : « Si deux partis de croyants se combattent,
rétablissez entre eux la concorde. Si l'un d'eux persiste
en sa rébellion contre l'autre, combattez le parti qui
est rebelle jusqu'à ce qu'il s'incline devant l'ordre de
Dieu. » (Sourate 49, verset 9.)

---

1. Les kharijites sont aujourd'hui très peu nombreux. Ils sont
majoritaires dans le sultanat d'Oman, dont ils représentent près de
75 % des deux millions d'habitants ; quelques communautés vivent
dans le Mzab en Algérie, à Djerba en Tunisie, et à Zanzibar. Voir
Anne-Marie Delcambre, « Les khâridjites, les protestants de l'islam »,
« http://www.clio.fr/BIBLIOTHEQUE/Les_kharidjites_les_protes-
tants_de_l_islam.asp », février 2003, Copyright Clio 2012. Tous droits
réservés.

Chacun des deux camps désigne, selon la tradition[1], un arbitre. L'arbitrage doit permettre de déterminer d'après le Coran qui est le successeur légitime. Mais Ali, trop crédule, ne se rend pas compte que son propre arbitre est déjà acheté par son adversaire. A l'issue de l'arbitrage, accepté par les Syriens, ceux-ci déclarent que Mo'awiya est leur calife et lui prêtent allégeance. Mais il refuse de se déclarer calife du vivant d'Ali et se contente d'élargir sa domination à l'Egypte.

Outre la succession, c'est la nature même du gouvernement de l'islam qui est en cause : Ali le révolutionnaire contre Mo'awiya l'homme d'Etat qui, contrairement aux règles établies jusque-là, institue le califat dynastique en désignant son fils Yazid comme successeur. Les partisans d'Ali refusent ce double coup d'Etat. Le fils cadet d'Ali, Hussein, essaiera même de reconquérir le pouvoir perdu par son père. En vain. En 680, il est encerclé avec soixante-douze de ses compagnons par le calife omeyyade Yazid. Assoiffé et épuisé, Hussein luttera jusqu'à ses dernières forces, mais sera finalement vaincu. Son martyre et sa mort sont des événements fondateurs du chiisme naissant (voir chapitre 7, « Le tazieh »). Dans la conscience collective chiite, le martyre de Hussein représente en effet la résistance et le sacrifice. Un exemple à suivre pour tout croyant.

---

1. L'arbitrage temporel est une tradition tribale. En effet, lorsque deux tribus s'affrontaient par les armes et que celles-ci n'arrivaient pas à décider du sort de la bataille, la tradition voulait que chacune des tribus désigne un arbitre. Elles se soumettaient par avance à la décision des deux arbitres.

3

La mort d'Ali et sa succession

Selon certains, un traité aurait été signé entre Mo'awiya et Ali afin d'éviter de faire couler le sang entre musulmans : la Syrie et l'Egypte restaient sous le contrôle de Mo'awiya et le reste du califat sous celui d'Ali. Mais d'autres historiens affirment qu'aucun accord n'a été signé entre les deux hommes et qu'Ali est assassiné alors qu'il se prépare à attaquer la Syrie.

Pour comprendre la suite des événements, l'escalade qui conduit à la naissance du chiisme, il convient de souligner que le califat d'Ali, qui dure quatre ans et neuf mois, est surtout marqué par la guerre civile. Othman mort étant devenu un martyr aux yeux de ses partisans, Ali se trouve dans une situation très délicate. Ses adversaires disent de lui qu'il est courageux, mais dénué de tout sens politique. C'est oublier que la démarche du quatrième calife est avant tout religieuse et non politiquement opportuniste, contrairement à celle de Mo'awiya.

Sur le premier front, les insurgés fomentent continûment des troubles ; sur un deuxième front, Ali est menacé par les Banu Umayya (le clan d'Othman), qui se réfugient en Syrie et incitent Mo'awiya à exiger que le calife soit vengé et à faire justice de ses assassins. Ali affronte la situation avec beaucoup de courage mais il est relativement isolé, y compris au sein de ses partisans. Il ne parvient à aucun moment à localiser et arrêter les meurtriers : la tâche est difficilement réalisable avant l'établissement de la paix intérieure, objectif qu'Ali poursuit en priorité.

La nouvelle menace à laquelle est confronté ce calife mal installé sur son trône est le mouvement kharijite. Ces derniers n'hésitent pas à se servir de l'épée comme ultime argument... Ils ont développé un islam rigoriste, puritain, qui condamne le luxe et exige que la foi soit justifiée par les œuvres. Ali, réalisant le danger qu'ils représentent, parvient à en éliminer un certain nombre, mais quelques-uns s'échappent. Opposés au concept de califat, à Ali, mais aussi à Mo'awiya, qu'ils rendent également responsables des divisions entre les musulmans en raison de leur conflit, ils décident de les assassiner au même moment et fixent la date au dix-septième jour du mois de Ramadan. Mo'awiya en réchappe avec une blessure superficielle, mais Ali est mortellement atteint d'une épée empoisonnée. Il meurt trois jours plus tard à Koufa, qui est encore aujourd'hui l'une des trois grandes villes chiites en Irak avec Karbala (ou Kerbela) et Nadjaf.

Avant sa mort, et alors qu'il était déjà blessé, Ali recommande à ses fils Hassan et Hussein d'être de bons musulmans. Quand l'un des fidèles demande à Ali s'il doit prêter allégeance à Hassan son fils aîné, il lui répond qu'il « laisse cette décision aux musulmans ». Ali exige également que, mis à part son tueur, on ne fasse pas d'autres victimes pour le venger. Il meurt à l'âge de soixante-trois ans.

Mo'awiya ne s'autoproclame pas immédiatement calife. A la mort d'Ali, son fils Hassan (624-670) est désigné comme son successeur par les partisans de la cause alide. Mais le fardeau est lourd pour cet homme pieux et doux – que certains diront faible, sans réelle ambition politique. Mo'awiya marche avec son armée sur l'Irak, où se trouvent les partisans de Hassan, et lui déclare la guerre. Hassan va très vite se rendre compte que l'art militaire lui est, sinon étranger, tout au moins méconnu. Il est publiquement déconsidéré lorsque ses propres soldats, en partie corrompus par le gouverneur de Damas, refusent de marcher contre l'ennemi. Mo'awiya obtient alors de Hassan qu'il lui cède le califat en échange d'une pension et de la paix pour ses partisans, et se retire. Il aurait été empoisonné dix ans plus tard par une de ses épouses, sur ordre du nouveau calife.

C'est à partir de la renonciation de Hassan en 661 que les historiens arabes font débuter le califat de Mo'awiya, qui inaugure la dynastie des Omeyyades (661-750). Il instaure en effet un califat dynastique en présentant son fils Yazid à ses principaux lieutenants, auxquels il demande de le coopter comme son successeur. Le nouveau calife établit son califat à Damas et se présente comme le tenant de l'orthodoxie musulmane en construction.

En rompant son accord avec Hassan, Mo'awiya indique clairement aux partisans de la famille du Pro-

phète qu'il ne leur permettra jamais de vivre en paix.
Il va même jusqu'à menacer quiconque transmettrait
un hadith louant les vertus de la famille du Prophète.
S'ouvre alors une période de dénigrement systématique
d'Ali et de ses actions. De nombreuses têtes tombent
parmi les plus éminents disciples d'Ali. Pour garder
la vie sauve, la plupart des chiites – on désigne ainsi
les partisans (en arabe *chi'a*) d'Ali – doivent abjurer et
même insulter Ali. Les vingt ans de règne de Mo'awiya
sont une période très dure pour les chiites, pourchassés
sans relâche et forcés de dissimuler leur foi (*taqiyya*).

En revanche, Hussein est animé de la même flamme
que son père. C'est un homme réfléchi, loyal, qui se
remet en question ; il va se lancer à fond dans la bataille.
Une deuxième grande étape de la formation du chiisme
passera par la révolte que Hussein, le deuxième fils
d'Ali, conduira contre le calife de Damas.

Il tient tête aux troupes de Mo'awiya pour se réfugier
à Koufa où, entouré de ses partisans, il harcèle l'armée
du calife. Yazid, le fils de Mo'awiya, va succéder à son
père à la tête du nouvel Empire et poursuivre le combat jusqu'en 680, soit près de vingt ans après la mort
d'Ali. Hussein doit livrer une bataille décisive. Il le
sait. Mais ce qu'il ignore, c'est que lui aussi sera trahi
par ses proches. De fait, l'armée de Yazid parviendra
à l'encercler à Koufa, à l'assiéger et à l'assassiner avec
toute sa famille (voir chapitre suivant).

Mo'awiya voulait créer un Etat : lever des impôts,
une armée, battre monnaie… Il a été très clair en disant
que le Commandeur des croyants avait tous les pou-

voirs. Mo'awiya est un homme d'Etat, un fondateur de dynastie ; le déplacement du califat à Damas consacre l'effacement de l'Arabie et une nouvelle polarité pour l'Empire. La période omeyyade est celle de l'achèvement des conquêtes arabes et de la consolidation des frontières.

A la différence de son successeur, Ali se sentait investi d'une mission avant tout religieuse. Son livre, *La Voie de l'éloquence*, se présente comme une sorte de manifeste religieux dans la continuité de l'enseignement du Prophète. Il s'en sent le dépositaire. En effet, s'il tient à éviter les combats, ce n'est pas par faiblesse, mais pour unifier les rangs des musulmans. Il se souvient de ce que lui a dit son cousin : « Vous êtes tous égaux comme les dents d'un même peigne. »

En arrivant à Médine, en effet, Mouhammad apportait un concept nouveau, celui de la transcendance de l'islam par rapport à l'appartenance tribale, clanique et familiale. On n'appartient plus à sa famille, on n'appartient plus à son clan, on n'appartient plus à la tribu. A partir du moment où on a adopté l'islam, on devient l'égal de tous, qu'on soit noir, blanc ou jaune. Si on est esclave, on est affranchi. On peut y voir une forme de citoyenneté. C'est exactement ce qui s'est passé à Médine. Et pour Ali, c'est ça le plus important. Comme on l'a dit, c'est lui qui a été le premier parmi les croyants, c'est lui – avec Khadidja, première épouse du Prophète –, qui le premier écoute Mouhammad, quand celui-ci commence, sur la demande de l'ange Gabriel, à réciter le Coran dans les cités (*ikra'*)...

Ali comprenait sa mission, même si la comparaison est osée, à la manière d'un Paul de Tarse, en ce sens qu'il se considérait comme une sorte d'apôtre de Mouhammad, de propagateur et de continuateur de sa parole. Ce qui l'intéressait, c'était l'organisation de la communauté plus que le pouvoir. Pour lui, l'Etat n'était qu'un moyen en vue de la réalisation de l'unité des croyants. Ali était attaché à la pureté du dogme dans la continuité de ce qu'a enseigné Mouhammad, et à la transmission de cet enseignement et de cette foi.

C'est en ce sens que la personnalité d'Ali est intéressante. Elle est à la fois enflammée, enthousiaste, un peu exaltée sur le plan religieux et, malheureusement, perçue – y compris par ses partisans – comme politiquement faible. On comprend que c'est précisément autour de cette personnalité d'Ali et de celle de son fils Hussein que se construit le chiisme, dans une exaltation religieuse assez éloignée de l'orthodoxie sunnite : lorsque les chiites célèbrent la mort de Hussein, le jour de la fête de l'Achoura, ils rejouent littéralement son martyre en se frappant la poitrine en signe de contrition et en se flagellant avec des lames jusqu'à ce que le sang purificateur recouvre le drap blanc qu'ils revêtent pour l'occasion.

4

Le martyre de Hussein

La mort de Hussein constitue un épisode fonda-teur du chiisme. L'événement est commémoré chaque année (voir chapitre 7, « Le tazieh ») par les chiites : les fidèles évoquent et revivent chaque épisode en pleu-rant les martyrs. Le dixième jour de ces manifestations, lorsque les fidèles célèbrent l'Achoura, le martyre de Hussein, en faisant pénitence, il faut également y voir le remords de la communauté de n'avoir pas voulu ou pu empêcher ce massacre.

Hassan ayant renoncé au califat au profit de Mo'awiya, la mort de ce dernier en 680 devait per-mettre à son fils Yazid d'accéder au trône. La cou-tume veut alors que Hussein, deuxième fils d'Ali, prête allégeance au nouveau calife. Pressé par le gouverneur de Médine de s'acquitter de cet hommage, Hussein se réfugie à La Mecque, où il est rejoint par des habi-tants de Koufa, partisans de sa cause. Il se met alors en route avec sa famille et un groupe de partisans, que la tradition portera au nombre de soixante-douze. Arrêté dans la plaine de Karbala par les armées omeyyades,

Hussein est une nouvelle fois exhorté à faire sa soumission à Yazid, ce qu'il refuse. Il est alors attaqué, ses
compagnons sont tués, et sa tête est envoyée au calife.

Les lieux saints du chiisme se sont constitués autour
du pèlerinage des chiites sur les lieux des martyrs Ali
et Hussein. Nadjaf en Irak est le site du mausolée d'Ali,
auquel est également consacré un monument à Mazar
e-Sharif, en Afghanistan[1] ; Karbala abrite le mausolée
de son fils Hussein, Mashad celui du huitième imam,
Reza (voir chapitre suivant), et Qom en Iran celui de la
sœur de Reza, Fatima Masoumeh, révérée pour sa piété.

La révolte de Hussein, comme le combat d'Ali en
son temps, revêt une dimension bien plus religieuse
que politique : l'enjeu est bien de faire valoir son droit
à la succession, mais surtout de faire triompher ce qu'il
estime être la vraie foi, dans le pays de son grand-père,
Mouhammad, dont il se considère comme le seul, le
vrai dépositaire du message prophétique. Les divergences théologiques viendront par la suite compléter
ce désaccord originel. Certains vont même jusqu'à
considérer le chiisme des premiers siècles comme une
forme religieuse de résistance à la domination syrienne.

On aurait pu penser que la défaite de Hussein aurait
représenté la fin du chiisme. Bien au contraire, les
chiites vont plonger dans la clandestinité et développer
un concept nouveau : la *taqiyya*, ou *koutmâne*, qui est
la dissimulation religieuse[2]. Ainsi, plus jamais un chiite

---

1. Une petite minorité de chiites croit en effet qu'il est enterré
là et non en Irak.
2. Voir p. 51.

n'« avouera » son appartenance à la communauté en présence d'une multitude de sunnites ou d'autres. Désormais, chaque membre de la communauté sera important. Ne pouvant se prévaloir du nombre, les chiites vont pouvoir exercer aisément cette dissimulation religieuse.

Certes, le sunnisme et le chiisme ont le même socle. Certes, le bouillonnement intellectuel que nous connaissons à partir de l'écriture du Coran va engendrer plusieurs écoles juridiques et théologiques. Certes, chiites et sunnites se réclament des quatre premiers califes. Mais à partir de là, les chiites vont développer leur propre *ijtihad*, l'effort d'interprétation, tandis que les sunnites vont y mettre un terme de manière assez brutale à la fin du XIᵉ siècle, lorsque le calife connaîtra quelques révoltes sociales et religieuses aux confins de l'Empire. Il ne retiendra que quatre écoles religieuses et juridiques, qui font encore autorité aujourd'hui : les malékites[1], les chaféites[2], les hanbalites[3] et les hanafites. Pour les sunnites, le dogme est fixé. Ces écoles

---

1. L'école malékite est fondée par Malik ibn Anâs (711-795). Majoritaire en Afrique du Nord, en Egypte et au Soudan, elle diffère des trois autres écoles juridiques en ce qu'elle inclut dans les sources de sa jurisprudence les pratiques des premiers musulmans.

2. L'école chaféite est fondée par l'imam al-Chafi (768-820). Elle est suivie en Egypte, en Indonésie, en Malaisie, au Yémen et par le sultanat de Brunei.

3. L'école hanbalite est fondée par Ahmad bin Hanbal (780-855). Elle postule l'origine divine du droit, en opposition au courant mu'tazilite influencé par la philosophie grecque. Cette école, qui est la plus conservatrice des quatre, est surtout représentée en Arabie Séoudite.

de théologie ont commencé à définir leurs positions respectives dès la seconde moitié du VIIIe siècle.

Les chiites en revanche n'ont jamais cessé cet *ijtihad*, celui-là même d'ailleurs qui a porté les constitutionna-listes au pouvoir en 1916 et qui a installé Ruhollah Khomeyni en Iran en 1979. Le chiisme, comme tous les schismes de l'islam, comporte trois niveaux : généa-logique, en raison de la succession du Prophète, théo-logique, comme on vient de le voir, et enfin politique.

II

DIVERGENCES DOCTRINALES
ET PARTICULARITÉS DU CHIISME

5

Le chiisme : courant principal
et courants minoritaires

Les chiites ne reconnaissent, dès l'origine, que la descendance directe d'Ali. Le dogme chiite ne se précisera que par la suite, grâce notamment au sixième imam, Jaafar al-Sadik (703-765), qui fut à l'origine de la doctrine centrale du *naas* selon laquelle chaque imam doit désigner explicitement son successeur conformément à la volonté divine. C'est également à son époque que le concept de *taqiyya*, pratiqué dès la mort d'Ali, se formalise : cette doctrine autorise le croyant à dissimuler sa véritable foi et à se dispenser des prescriptions du culte lorsqu'il est en danger. Cette pratique apparaît légitime au regard des constantes persécutions que subissent les communautés chiites dès leur origine. Elle s'inscrit dans le statut chiite d'éternel persécuté en attente du rétablissement de la justice par la venue du Messie. L'échec politique du chiisme est en effet un de ses éléments constitutifs : il justifie à la fois le thème de la martyrologie et l'attente d'un triomphe dans l'au-delà.

Après Hussein, fils d'Ali et troisième imam, le chiisme en verra se succéder neuf autres jusqu'à la dernière étape de la formation du chiisme duodécimain, la constatation de la disparition du douzième imam, Mouhammad al-Mahdi, en 874, à l'âge de cinq ans. La présence d'un imam étant nécessaire au monde, les théologiens concluent à l'« occultation » de celui-ci qui, de manière invisible, guide la communauté.

C'est ainsi que se succèdent Ali fils de Hussein, dit Zein al-Abidine (658-713), quatrième imam, dont le fils Zayd donnera naissance aux zaydites[1], Mohammed al-Bakir (676-743) le cinquième, Jaafar as-Sadiq (703-765) le sixième, dont le petit-fils Ismaïl sera à l'origine des ismaéliens qui formeront la dynastie des Fatimides[2]. Viendront également Musaa al-Kazim (745-799), Ali ar-Rida (765-818), Mohammed al-Jawad (810-835), Ali al-Hadi (827-868), Hassan al-Askari (846-874), le onzième, qui sera à l'origine des alaouites par l'intermédiaire d'Ibn Nusayr Namiri, et enfin, le douzième imam, Mouhammad al-Mahdi (869-), « occulté » en 874. Les fidèles attendent depuis lors le retour de

---

1. Le zaydisme est une branche dissidente du chiisme qui considère que le dernier imam est Zayd. L'émirat zaydite du Yémen, fondé à la fin du IXe siècle, se maintient jusqu'à la révolution de 1962. Ce n'est qu'au début des années 1990 que certains prônent un retour au zaydisme. Ils militent entre autres au sein du parti *Al-Haqq* (La Vérité). Les zaydites vivent aujourd'hui principalement dans le nord du Yémen, où ils sont majoritaires quoique le pays soit principalement sunnite.

2. La dynastie fatimide règne sur l'Afrique musulmane, puis sur l'Egypte (969-1171) où elle établit un califat. Issus du chiisme ismaélien, les Fatimides considèrent les Abbassides comme des usurpateurs.

l'imam occulté, caché, qui amènera avec lui justice et bien-être sur terre. Viendront ensuite la fin du monde et le temps du Jugement dernier.

Les différentes appartenances apparaissent donc dès le quatrième imam, dont le fils, Zayd, va lui aussi, aux yeux de ses partisans, non pas mourir, mais être occulté, d'où le nom de ces Nord-Yéménites qu'on appelle les zaydites. Mais les duodécimains, ainsi nommés pour leur croyance au retour du douzième imam, représentent la majorité des chiites.

Entre les deux occultations, les théologiens étoffent les doctrines du chiisme : ils établissent notamment le corpus de base des hadiths duodécimains. Les chiites reconnaissent la *Sunna*[1], mais certains hadiths qui la transmettent leur sont propres. De même, chez les chiites, la chaîne des garants, sorte de preuve d'authenticité des hadiths, remonte systématiquement aux imams, tandis que les sunnites admettent pour garants des compagnons du Prophète. Il s'ensuit un corpus de textes doctrinaux différents entre les deux branches.

Attentifs aux débats dogmatiques, les chiites se prononcent sur l'ensemble des thèmes sujets à polémique. Ils considèrent que les attributs divins font partie de l'essence divine[2] ; l'apparence physique de Dieu est à prendre au sens métaphorique. Sur la question de la vision de Dieu, les chiites considèrent, à l'inverse des sunnites, que le croyant ne peut le voir, même dans

---

1. Voir note p. 22.

2. Ces divergences théologiques peuvent être comparées aux querelles des débuts du christianisme portant sur la nature du Christ, divine ou humaine.

l'au-delà. En outre, ils s'écartent également de l'orthodoxie en affirmant que l'homme est libre et responsable de ses actes.

Dissident par rapport à l'orthodoxie sunnite, le
chiisme a lui-même engendré plusieurs sectes minoritaires. C'est le cas de l'ismaélisme et de ses sous-
sectes[1], apparues vers 762, au début du règne des
califes abbassides[2]. Pour les ismaéliens, la succession
des imams s'achève avec le septième d'entre eux,
Ismaïl, fils de Jaafar al-Sadik. L'approche religieuse
des ismaéliens, ésotérique, implique une séparation
entre initiés et non-initiés. A ces derniers, Mouhammad aurait révélé uniquement la charia, tandis qu'aux
initiés Ali enseignerait son sens caché. Ce principe
implique une interprétation constante du Coran destinée à en révéler le sens profond.

---

1. Sabrina Mervin, *Histoire de l'islam*, Flammarion, 2010,
pp. 113-117.
2. La dynastie abbasside (750-1258) est fondée par Abu al-Abbas
al-Saffah, proclamé calife après avoir renversé le dernier calife
omeyyade, Marwan II. Le califat est alors déplacé de Damas à
Bagdad, ville fondée en 762. La civilisation abbasside est arabo-
persane ; brillante, elle connaît son apogée sous le règne de Haroun
al-Rachid (766-809). Les villes se développent, l'administration
également. La littérature est florissante. Mais les Abbassides ne
règnent pas sur l'ensemble du monde musulman puisque dès 756
l'Espagne revient au dernier des Omeyyades, qui y fonde le califat
de Cordoue. A partir du Xe siècle, la trop grande extension territoriale de l'Empire le menace de dislocation. Dans le même temps,
le calife perd progressivement son pouvoir au profit des émirs
d'origine persane ou turque, et n'a plus qu'un pouvoir symbolique
lorsque Bagdad est prise par les Mongols en 1258.

Les Fatimides[1], apparus vers 890 au Yémen, s'implantent avec succès au Maghreb et fondent d'ailleurs une dynastie bicentenaire dans la ville du Caire, permettant pour la première fois au chiisme d'accéder à une position dominante sur la communauté sunnite. Après la prise de Bagdad par les Mongols en 1258, c'est également au Caire que se réfugient les survivants de la dynastie abbasside. Vingt et un califes s'y succèdent alors avec un rôle purement symbolique, jusqu'à la conquête de l'Egypte par le sultan ottoman Sélim 1er en 1517.

Bien d'autres sectes voient le jour, tels les druzes et les nusayris[2] ; le druzisme date du règne du calife fatimide al-Hakim (986-1021). Cette doctrine porte le nom de son fondateur, Mohammed al-Darazi ; elle admet le fait que Dieu peut se manifester régulièrement sous forme humaine (*makam*), et que son incarnation la plus importante est précisément al-Hakim. Persécutés par les sunnites, les druzes se réfugient au début du XIe siècle dans les montagnes du Hauran en Syrie et du Chouf au Liban. Ces communautés survivront jusqu'à nos jours et sont encore dynamiques au Proche-Orient.

L'émergence de doctrines dissidentes représente plus souvent un moyen d'opposition politique, ethnique ou nationale au pouvoir central du calife, qu'une réelle révélation divine. Dès le Xe siècle, le chiisme

---

1. Voir note p. 52.
2. Les nusayris sont en fait des alaouites (voir chapitre 9). Le fondateur du nusayrisme est Mohammad ibn Nusayr, mort en 884, auquel le onzième imam chiite aurait confié une révélation nouvelle.

incarne par exemple les aspirations nationales de l'Irak et de l'Iran vis-à-vis de la Syrie dominatrice. Il s'est trouvé particulièrement adapté au milieu irako-iranien, héritier des traditions babyloniennes et sassanides[1] qui font du souverain un dieu. D'ailleurs, une fois le califat des Abbassides mis en place en 750, la ferveur revendicatrice de la communauté chiite irakienne déclinera quelque peu ; en effet, même si les sunnites conservent le pouvoir, le retour de la vieille Mésopotamie au sommet de sa puissance les satisfait. C'est dès lors au tour des Egyptiens, héritiers des traditions pharaoniques qui font du souverain un dieu, de se rallier au chiisme fatimide en signe de dissidence face à Bagdad.

---

1. L'empire sassanide dure de 226 à 641. Il a pour capitale Ctésiphon, et pour religion le zoroastrisme. L'invasion arabe de la Perse met fin au pouvoir de la dynastie sassanide et constitue une rupture très importante dans l'histoire du pays ; si l'arabisation et l'islamisation constituent un traumatisme pour certains, pour qui l'âge d'or de la civilisation perse est préislamique, la renaissance qui s'amorce au IXe siècle témoigne d'une fusion entre les éléments perses et la nouvelle religion. Le *Livre des Rois* de Ferdowsi est un des nombreux exemples d'incorporation du passé préislamique par les arts et la littérature.

6

Chiisme *vs* sunnisme

Dans le sunnisme, l'imam est une personnalité qui est appelée, durant la prière communautaire du vendredi, à lire des passages du Coran et à les commenter. C'est en quelque sorte le prêtre, ou plutôt le pasteur protestant puisqu'il n'y a pas de clergé hiérarchisé et que chacun est habilité à jouer ce rôle, comme chez les protestants : c'est l'équivalent de la lecture commentée de l'Evangile. En revanche, dans le chiisme, l'imam est le véritable guide de la communauté.

C'est là qu'intervient la grande fracture théologique entre les deux branches principales de l'islam : la question de l'imamat. L'imam chiite est le chef temporel et spirituel désigné par Dieu lui-même : l'imamat chiite est difficilement comparable au califat sunnite, car il ne s'agit pas seulement de la succession de Mouhammad, mais bien d'un fondement même de la religion. Des hadiths propres aux chiites rapportent que, de sa lumière, Dieu fit jaillir, d'une part, Mouhammad et la prophétie, et d'autre part, Ali et l'imamat ; l'imamat vient donc compléter la prophétie et prend une dimension divine. D'ailleurs, les imams, tout comme Mouhammad, sont considérés comme infaillibles dans l'absolu alors que les sunnites n'admettent l'infaillibilité du Prophète qu'en état de prophétie, et ne reconnaissent aucun statut divin aux imams.

Les chiites considèrent en outre les imams comme dépositaires de la science divine et gardiens de la charia. Ils ont réellement un rôle de guidance pour les fidèles qui leur doivent amour et obéissance. Leurs théologiens fondent leur dogme sur le Coran, qui évoque clairement la dignité d'Ali à l'imamat, et douze hadiths qui achèvent de prouver sa désignation comme imam[1].

A la fois chef politique et guide spirituel, l'imam cumule l'ensemble des pouvoirs. Il est le seul habilité à statuer sur le licite et l'illicite, à diriger la prière du vendredi, à déclarer le jihad, à émettre des jugements, etc.

L'impossibilité pour les imams après Ali d'accéder au pouvoir politique les pousse à développer une justification théologique de leur mise à l'écart : leur pouvoir est désormais « occulté ». C'est ainsi que le douzième imam décède et « disparaît des yeux des croyants vers 874, à l'âge de cinq ans » : c'est lui qui possède pleinement la légitimité, tout pouvoir terrestre n'étant désormais qu'une usurpation, plus ou moins tolérable, en attendant le retour de l'imam.

---

1. L'un de ces hadiths, rapportés par Al-Tabarâni (v. 873-970), stipule qu'une des dernières paroles du Prophète aurait été : « Trouvez, dans les gens de ma maison (*Ahl al-Beit*), ma succession. » Un autre hadith, sous une forme plus allégorique, fait dire à Mouhammad : « Les gens de ma maison sont auprès de vous comme l'arche de Noé : celui qui y est monté a été sauvé, celui qui l'a manquée s'est noyé. »

Après l'occultation, les chiites se trouvent donc privés de leur maître à penser ; les oulémas[1] tentent dès lors de sortir de l'impasse en réélaborant la doctrine. Ils s'arrogent peu à peu une partie des pouvoirs des imams. Ils élaborent des concepts légitimant l'obéissance des croyants au *mujtahid* (savant reconnu) ; ce dernier est d'ailleurs érigé en représentant de l'imam caché, ce qui lui donne le droit de percevoir l'impôt, de trancher des conflits, pouvoirs originellement réservés aux imams. Cette tendance renforce le pouvoir des oulémas chiites qui, à partir du XIXe siècle, s'impliquent davantage dans les affaires politiques.

Ces débats autour de la direction spirituelle chiite s'intensifient dans le premier tiers du XXe siècle avec la révolution constitutionnaliste en Iran (voir chapitre 9) et la formation de l'Etat irakien moderne. L'ayatollah Khomeyni poursuit ces thèses doctrinales dans un but plus politique encore ; il reprend le concept de *velayat-e faqih*[2] (guidance du juriste) et le conjugue à celui de *hukûma islamiyya* (gouvernement islamique), selon lequel Dieu seul détient la souveraineté. La mission du juriste est désormais de guider la communauté et de conduire une politique en accord avec les principes de l'islam.

---

1. Pluriel de *'alim*, qui veut dire « savant ». Le terme désigne spécifiquement les savants religieux.
2. C'est la clé de voûte du système politique de la République islamique d'Iran. En effet, le mode de gouvernement de toute théocratie repose sur l'idée que le pouvoir, censé émaner directement de Dieu, est exercé par ceux qui sont investis de l'autorité religieuse, autrement dit le clergé. Le juriste théologien (*faqih*) est à la tête de cette institution.

Dans le sunnisme, il n'y a pas d'intermédiaire entre le croyant et Dieu. Ce qui fait qu'il n'y a pas de clergé. Le *mufti* (religieux interprète de la loi islamique) est nommé par le pouvoir politique, puisque en principe le pouvoir politique, c'est-à-dire le calife, est le Commandeur des croyants. Le juge (*cadi*) également. Autrement dit, ce sont des fonctions qui peuvent changer au gré du pouvoir politique. Dans le chiisme, il y a un clergé qui est aussi hiérarchisé que le clergé catholique. Et il est nommé de manière démocratique. Dans le monde non perse, celui qui décide d'étudier la religion devient cheikh et garde ce titre jusqu'à la fin de sa vie.

Dans le chiisme persan en particulier, celui qui consacre sa vie à l'étude de la religion intègre une école de théologie qui lui permet à la fin de ses six années d'études de pratiquer l'effort d'interprétation (le fameux *ijtihad*) – et pour cela il assimile la jurisprudence, le droit musulman, la théologie, etc. –, et de devenir mollah, c'est-à-dire membre du clergé chiite iranien. Puisque l'islam est englobant, sacré et temporel à la fois, le mollah peut trouver dans n'importe quel secteur, religieux, administratif, judiciaire, politique, économique, etc., une interprétation nouvelle, dans laquelle il entraînera avec lui quelques autres mollahs. Il devient alors *hodjatoleslam*, littéralement « la preuve apportée par l'islam ». Ce titre, donné à un mollah de rang intermédiaire, certifie que celui-ci est déjà reconnu pour son exégèse des textes sacrés. Puis, dix ou quinze ans plus tard, un des disciples qui l'ont suivi dans cette interprétation devient à son tour *hodjatoleslam*. Alors automatiquement, il devient *ayatollah*, c'est-à-dire « signe de Dieu ». Ils sont jusque-là uniquement entre clercs.

Là où le peuple entre en scène, c'est lorsqu'il choisit l'ayatollah qui dans ses prêches du vendredi va proposer l'interprétation globale, une vision globale de la famille, de la société, de l'éthique, de la morale, du monde, et qui va « jauger » sa popularité et sa notoriété. Le peuple va aller vers celui qui lui propose la version globale qui lui sied le mieux pour sa vie personnelle. Alors cet ayatollah devient un *marja'* et représente la *marja'iyya*, autrement dit la référence. Il devient un référent.

Un exemple concret. En 2004, un jeune mollah du nom de Moqtada al-Sadr[1] lance en Irak une révolte contre l'occupation américaine. Ses combattants, désignés comme « l'armée du Mahdi » (l'équivalent du Messie), livrent des combats sanglants qui en font un des principaux adversaires des Etats-Unis en Irak. Ali al-Sistani, ayatollah iranien dont l'influence grandit depuis le début du conflit, négocie alors une trêve destinée notamment à protéger les lieux saints de Nadjaf, directement menacés par les affrontements. A la suite de cet accord, Moqtada al-Sadr ordonne immédiatement à ses hommes de cesser le combat : le référent, le *marja'*, s'était exprimé et il était suivi.

Chez les sunnites, depuis l'abolition du califat en 1924, il n'y a plus personne qui puisse parler au nom de

---

1. Né en 1973, Moqtada al-Sadr est le fils de l'ayatollah Mohammad Sadeq al-Sadr, exécuté sous Saddam Hussein. Il revendique le titre de *hodjatoleslam*, qui lui est contesté en raison de son jeune âge. Son mouvement politique fait partie de la coalition gouvernementale dirigée par le chiite Nouri al-Maliki, Premier ministre depuis 2006, mais s'en retire en avril 2007 après le refus de ce dernier d'exiger le retrait immédiat des troupes américaines.

l'islam dans son ensemble. Les imams qui dirigent la prière du vendredi sont formés soit, comme en Turquie, par le *Dyanet* (ministère des Affaires religieuses), soit, comme en Egypte, à la mosquée Al-Azhar[1], soit… ils ne sont pas formés. Pour preuve, Clamart – où Yasser Arafat est hospitalisé et meurt en 2004. La même année, l'imam local lance un jihad pour les Palestiniens, suscitant un tollé dans la ville et la fermeture le 2 avril de la salle de prière de la commune[2]. Le jeune maire socialiste Philippe Kaltenbach, pour désamorcer la situation, organise une grande réunion populaire dans un théâtre. Il invite des spécialistes à prendre la parole. Lorsque vient mon tour, pour tenter d'exposer le problème, je demande à cet imam : « Monsieur, vous avez lancé le jihad pour les Palestiniens. De quels Palestiniens s'agit-il ? » Le pauvre homme me regarde et me répond, embarrassé : « Je ne sais pas. » Je lui demande alors depuis combien de temps il est imam… Il l'était depuis un an. Je lui demande encore qui l'a nommé imam. « Monsieur le maire. » Et que faisait-il avant ? Il était boulanger. Voilà l'un des grands drames de nos banlieues. C'est pour cela que la décision de former des imams en France est une excellente décision[3].

---

1. Fondée en 970, c'est l'une des plus anciennes mosquées, et des plus prestigieuses.

2. Son appel au jihad a été filmé par France 2 dans le cadre d'un reportage, ce qui a donné à l'incident un très grand retentissement conduisant à la démission de l'imam. Ce dernier s'est dit « piégé » par la chaîne.

3. Daniel Licht, « Clamart veut un islam local républicain, *Libération*, 24 avril 2004, consultable en ligne, « http://www.liberation. fr/societe/0101486483-clamart-veut-un-islam-local-republicain ».

Dans le sunnisme, en principe, l'imam est choisi soit par une autorité politique, soit par les croyants eux-mêmes. Au-dessus, il y a le mufti, qui est la plus grande autorité pour le pays ou pour la région administrative et religieuse. Et c'est tout. Il y a donc autant de chapelles que d'imams. Chez les sunnites, l'effort d'interprétation est figé depuis la fin du XIe siècle. Deuxièmement, il n'y a plus de calife, donc, comme on l'a vu, il n'y a plus d'autorité qui puisse imposer quoi que ce soit. Troisièmement, personne n'a le droit de parler seul au nom de l'islam... et en même temps, tout croyant peut s'arroger le droit de le faire. C'est ainsi que s'est développé l'islamisme : sur la base d'une lecture littéraliste du Coran et d'une légitimité à l'interpréter fondée sur le seul critère de la foi[1]. Le port du voile ou l'interdiction des boissons alcoolisées sont autant d'illustrations de cette vision sélective des textes religieux de l'islam, qui sont très partagés sur ces sujets. Le vin est certes accusé, avec les jeux de hasard, de susciter un péché « plus grand que leur utilité » (II, 219) ; mais il est valorisé dans la sourate des Abeilles (XVI, 67), et coule dans le « Jardin promis », c'est-à-dire le Paradis, sous forme de « fleuves de vin, délices pour ceux qui en boivent » (XLVII, 15) ; quant au voile, il est recommandé aux femmes de le rabattre

---

1. Voir à ce sujet Olivier Roy, *L'Islam mondialisé*, Seuil, 2002. L'universitaire y explique que l'islamisme parvient à se mondialiser pour cette raison que la religion, coupée de toute tradition et de tout enseignement érudit, constitue dès lors un produit universellement adaptable et adoptable. L'islamiste oppose à ses contradicteurs la pureté de sa foi, et ne peut donc être déstabilisé sur le terrain des connaissances théologiques.

sur leurs poitrines (XXIV, 31) ; celles qui « ne peuvent plus enfanter » ou se marier peuvent s'en dispenser, bien qu'il soit « préférable » qu'elles s'abstiennent (XXIV, 60). On est bien loin de la burqa !

Autre divergence avec le chiisme : le sunnisme se considère comme l'achèvement, l'aboutissement du monothéisme. Le Prophète n'a-t-il pas dit lui-même : « Je suis le sceau des prophètes. Je suis venu parfaire votre religion » ? Autrement dit, les autres religions monothéistes, judaïsme et christianisme, ont reçu le message, mais il était incomplet et ils l'ont détourné[1]. Et enfin, ajoute-t-il : « Il me plaît que l'islam soit votre religion. » Outre le fait que par cette phrase, le Prophète a donné à l'islam son caractère universel – c'est-à-dire que chaque être humain est appelé à se soumettre à l'islam[2], donc à se convertir –, le sunnisme considère que quitter la communauté des croyants, la *Oumma*, constitue un retour en arrière par rapport à ce but ultime. Donc, celui qui quitte la communauté devient apostat.

Dans le chiisme, où l'effort d'interprétation se poursuit, il est certain qu'on ne pense pas à un achèvement, mais qu'on estime au contraire que les études et l'effort d'interprétation constituent toujours une démarche impérative dans l'islam. C'est donc le même *ijtihad* qui, comme on l'a déjà évoqué, va amener au pou-

---

1. L'islam considère donc juifs et chrétiens comme « Gens du Livre », au nom de cette partie partagée de la Révélation.

2. Le terme *islam* signifie en arabe « abandon », et par extension « soumission » à Dieu.

voir en 1906 les constitutionnalistes qui vont pendre les religieux, c'est le même *ijtihad* qui va susciter le retour du Chah[1] en 1941. C'est le même *ijtihad* qui amène Khomeyni au pouvoir en 1979. C'est le même *ijtihad* qui remet en cause, aujourd'hui, le pouvoir des religieux à Téhéran.

Cette démarche repose sur une dernière différence, essentielle, avec le sunnisme : comme cela a déjà été dit, le chiisme est structuré par une eschatologie qui comprend la croyance dans le retour du Mahdi, qui reviendra juger les vivants et les morts. En attendant ce moment, la légitimité du guide qui prend en charge la communauté des croyants est forcément temporaire, et soumise en permanence à un examen critique de la part de théologiens avertis. Comment, compte tenu de ce postulat, se passer d'une interprétation constante ?

---

1. Chah ou Shah est le titre officiel des souverains iraniens.

7

Le tazieh

Le tazieh est un mot d'origine arabe qui signifie « témoignage de condoléances » et qui correspond dans l'islam chiite au jour anniversaire de la mort de Hussein, troisième imam des chiites.

Le tazieh désigne en Iran une cérémonie religieuse populaire célébrée sous forme de pièce de théâtre, avec dialogues chantés et déclamés. Le tazieh existe ailleurs qu'en Iran : on a relevé des manifestations analogues dans le village chiite de Nabawiya au Liban, ainsi qu'en Inde, où vivent quelque dix millions de chiites.

Le tazieh est une passion (au sens de la Passion du Christ) qui a pour sujet le martyre de saints personnages et le deuil déchirant que ce martyre entraîne. Il se joue à travers un important répertoire de plus de deux cents sujets, transmis à travers les siècles par des auteurs anonymes. La plupart de ces passions présentent l'histoire d'un des membres de la très nombreuse famille des descendants du prophète Mouhammad et d'Ali. Le tazieh s'incarne plus particulièrement dans le martyre de l'imam Hussein, petit-fils du Prophète et fils d'Ali.

A travers ce martyre se commémore un événement historique : le massacre de Karbala en 680, organisé par les troupes du calife omeyyade de Damas, qui conduira à la mort de Hussein et de ses partisans.

Mais si, dans sa très grande majorité, le tazieh relève de l'art dramatique, il existe aussi des taziehs comédies.

La fonction du tazieh est triple : éducation, transmission, célébration.

Il assure un des pôles de l'éducation religieuse : il est vu et connu par tous les Iraniens, dès l'enfance, au sein du cadre familial et scolaire. Sous contrôle du pouvoir religieux, il est une des cautions de l'orthodoxie chiite. Si le tazieh est bien un art de l'islam chiite, il existait avant l'islam : on jouait déjà à l'époque préislamique des pièces racontant l'histoire de Siyavush, un héros légendaire de la haute antiquité iranienne, qui porte le nom de Siyavarshan dans l'*Avesta*, le livre saint des zoroastriens[1]. Le contexte et les conditions de la mort tragique de ce prince iranien assassiné à la suite d'un infâme complot, firent de lui un martyr et entraînèrent un deuil déchirant. Cette légende est racontée par Ferdowsi (940-1020) dans son *Shahnameh*[2], un monu-

---

1. De Zoroastre (VIIe siècle av. J.-C.), l'un des fondateurs du mazdéisme, la religion de la Perse ancienne. Il fonde sa morale sur l'idée d'une transcendance divine et du triomphe du Bien.

2. Le *Livre des Rois*, poème épique composé de 60 000 distiques, est achevé vers 1010 après trente ans d'écriture. L'ouvrage a beaucoup influencé la langue et la littérature, et constitue un fondement de l'identité culturelle iranienne. La lecture publique du *Shahnameh* est un art exercé par des récitants professionnels qui parcourent villes et villages (*naqal*).

mental *Livre des Rois*. Ce conservatoire de la mémoire
iranienne n'est pas le premier ouvrage de ce genre,
mais c'est le plus achevé. Ferdowsi, relatant cette
légende, décrit le peuple iranien vêtu de noir, portant
le deuil de Siyavush. La tradition du deuil déchirant,
le goût pour les scènes épiques relatées sous forme de
narration, bien présents dans le *Shahnameh*, se perpé-
tuent à l'époque islamique dans le tazieh.

Le tazieh assume également la fonction de transmission de la mémoire collective du peuple iranien.
Aujourd'hui encore, ce peuple vêtu de noir porte toujours, sans en avoir conscience, le deuil de l'imam Hussein. Il participe de l'éloge des imams : à l'avènement
du chiisme iranien, les mollahs ont fait de l'imam Hussein l'incarnation du pays. En sa qualité d'héritier spirituel de ce dernier, chaque imam chiite iranien bénéficie
implicitement des retombées de sa considération.

A travers les siècles, cet événement historique
devient sujet de célébration, puis a évolué vers la
commémoration, puis vers la représentation de drames
sacrés. C'est probablement durant les années qui sui-
virent la mort de Hussein, soit dès la fin du VIIe siècle,
que les célébrations de son martyre ont commencé. Au
XIIe siècle, lorsque le pouvoir des Seldjoukides, musulmans sunnites qui envahissent l'Iran en 1037, s'affaiblit, des célébrations ont lieu au sein des assemblées,
lors desquelles des récitants rappellent les souffrances
et les vertus des gens de la maison d'Ali.

Mais c'est surtout à partir de 1501, avec l'avènement de la dynastie séfévide (1501-1722), que ces célé-

brations s'amplifient. Quand les Séfévides[1] accèdent au pouvoir, ils cherchent en effet à se démarquer des Ottomans sunnites, qu'ils combattent militairement, et des Turcs timourides auxquels ils succèdent, en officialisant le chiisme comme religion d'Etat, et en favorisant ces commémorations. Dans le même temps paraît *Le Jardin des Martyrs*, de Vaez Kashefi[2]. La diffusion de cet ouvrage va être appuyée et utilisée par les mollahs, et progressivement, les récitations s'accompagnent de débordements de larmes et de cris. Se forment alors dans les rues des cortèges avec déploiement d'étendards funéraires et de chars, où sont exhibés le cénotaphe de Hussein, son cheval percé de flèches… L'expression de la douleur devient publique et ostentatoire, à travers des processions de pénitents, revêtus de linceuls, de flagellants qui se frappent avec des chaînes, d'autres à coups de sabre… Désormais, nul, en Iran, ne peut ni ne doit plus ignorer ce qui s'est passé dans la plaine de Karbala.

---

1. Les Séfévides (ou Safavides), de souche turcomane, seraient venus du Kurdistan iranien. Ils ne fondent pas leur légitimité sur l'ascendance tribale, mais sur l'appartenance à une communauté religieuse soufie. D'abord sunnites, les Séfévides deviennent chiites au XIVe siècle, au moment où ils ambitionnent d'associer au pouvoir religieux le pouvoir politique. Le premier monarque séfévide, Ismaël 1er (1501-1524), soumet la Perse centrale, une partie de l'Est anatolien et les lieux saints de l'actuel Irak. Sous Abbas 1er (1588-1629), l'intégrité du territoire est renforcée et l'Etat séfévide est à son apogée, tant sur le plan politique que sur le plan artistique. Cette puissance décline ensuite jusqu'en 1722 où l'Empire, très affaibli, est envahi par un chef de guerre afghan.

2. Thierry Gandillot, « Le tazieh, passion iranienne », *L'Express*, 14 septembre 2000, consultable en ligne, « http://www.lexpress.fr/informations/le-tazieh-passion-iranienne_639693.html ».

Au début du XIXe siècle, à l'époque Qadjar[1], ces commémorations font place à des représentations de drames sacrés. C'est durant cette période que le tazieh atteint son apogée.

Des débats passionnés opposent les théologiens chiites iraniens. Parmi eux, Mirza Aboul Kassem ibn Hassan Gilani, mort en 1815, un des plus grands théologiens chiites, a rendu une fatwa sans appel, se référant au hadith selon lequel « quiconque pleure pour Hussein ou fait pleurer pour Hussein entrera de droit au Paradis ». Ce théologien décréta : « Nous disons qu'il n'y a pas de raison d'interdire la représentation des Innocents et des êtres aux âmes pures, et l'excellence des pleurs, de provoquer les pleurs et de prétendre pleurer pour le Seigneur des Martyrs, et ses partisans le prouvent… »

Le tazieh se joue toute l'année, mais le tazieh de Hussein a principalement lieu pendant le mois de Muharram, le premier mois du calendrier islamique, et plus particulièrement à l'Achoura, le dixième jour de ce mois. Chaque année il est présenté, dans des centaines de villages iraniens et dans les grandes villes, par des troupes d'acteurs qui rejouent les événements de ces journées décisives du mois de Muharram.

La tragédie de Karbala est une véritable leçon d'histoire vivante, dotée de grandes mises en scène qui visent à exalter la douleur. Elle se résume ainsi : Hussein espère entrer dans la ville de Koufa, ville qui sera plus tard considérée comme le centre de l'opposition à l'État abbasside, connue pour sa fidélité à Ali depuis

---

1. Voir note p. 89.

qu'il y a été assassiné en 661. A la suite d'une révolte, les habitants encouragent Hussein à en prendre la tête et se battre contre le calife pour imposer les droits de la maison d'Ali au pouvoir. Hussein quitte l'Arabie, où il s'est réfugié après avoir refusé de prêter allégeance à Yazid, mais les troupes califales contrôlent les routes du Hedjaz. Hussein et ses hommes se heurtent aux troupes de Yazid dans la plaine de Karbala, située à proximité de l'actuelle frontière entre l'Irak et l'Iran, au sud-ouest de Bagdad. Hussein arrive dans la plaine de Karbala (Irak), avec sa troupe de soixante-douze partisans, composée essentiellement de sa famille et quelques fidèles. Ils errent dans le désert pendant dix jours, encerclés par une armée de plusieurs dizaines de milliers d'hommes, qui empêchent Hussein et ses partisans d'aller chercher de l'eau dans l'Euphrate pourtant proche. Beaucoup mourront de soif avant de périr sous les flèches de l'ennemi. Le point culminant du drame est la mort tragique de Hussein, le dixième jour, lorsqu'il se retrouve face à Shemr, le général de l'armée ennemie, qui, à la fin d'un long duel, le tue devant ses femmes et enfants.

A partir des Séfévides, la tragédie de Karbala se joue en dix taziehs, qui se déroulent en dix jours, dont les plus importants sont ceux qui commémorent les deux derniers jours. Tous les taziehs sont construits de manière à faire monter jour après jour la tension émotive, les événements qui se succèdent sont toujours plus tragiques que ceux des jours précédents.

Le tazieh du premier jour : Hussein et ses partisans, sa famille et ses compagnons, au nombre de soixante-douze, quittent l'Arabie, à la suite d'une lettre envoyée par Yazid, pour installer la paix, c'est-à-dire pour obtenir la soumission de Hussein, qui permettrait de légitimer le pouvoir des Omeyyades. Le tazieh raconte cet événement et leur départ pour Damas.

Le tazieh du deuxième jour : Hussein est arrivé dans la plaine de Karbala. Il cherche l'endroit où Yazid a installé son camp, pour le rencontrer et parler avec lui.

Le tazieh du troisième jour : un émissaire de Yazid fait des allers-retours entre les deux protagonistes, du palais de Yazid à Damas au camp de Hussein dans la plaine de Karbala.

Le tazieh du quatrième jour : Hussein réunit autour de lui sa famille. Devant elle, il anticipe à haute voix la fin de son expédition, c'est-à-dire les événements du dixième jour.

Le tazieh du cinquième jour : Hussein parle avec le Prophète, dans le cimetière où il est enterré. Le Prophète a le visage voilé ; il sort de sa tombe et raconte avec de nombreux détails de quelle façon ils vont tous mourir.

Le tazieh du sixième jour : Hussein parle de nouveau avec sa famille, femmes, frères, enfants ; il leur confirme leur terrible fin.

Les taziehs des septième et huitième jours sont consacrés à un même personnage. Il s'agit de Hor, un homme de Yazid. Il est le plus grand, le plus fort de toute l'armée califale, plus encore que Yazid et que Shemr. L'acteur qui interprète son rôle est choisi pour sa force physique : il doit être de haute taille, de vigoureuse carrure, s'exprimer avec une voix virile, très forte, qui doit couvrir celles des autres acteurs. A côté de lui sont présentés ses deux fils. Dans l'Histoire, on ne sait si les deux fils de Hor ont existé, en tout cas ils n'ont pas joué de rôle notoire. Ils sont une invention des mollahs, car, dans le tazieh, leur rôle est capital : celui de renforcer la dialectique, de confirmer l'injustice de la mort de Hussein. L'un pense que Hor doit respecter et exécuter l'ordre de Yazid, y est encouragé par Shemr, l'autre à l'inverse est d'accord avec son père : ne pas se battre contre Hussein, trouver un compromis, afin que le sang ne soit pas versé.

Le tazieh du septième jour : Hor est dans le palais de Damas. Il reçoit de Yazid l'ordre d'aller combattre Hussein.

Le tazieh du huitième jour : la conversion de Hor. Hussein parle avec Hor, auquel il se présente comme une victime, il n'a pas voulu la guerre, il est venu pour trouver une solution… Hor se rend à ses arguments : le tazieh exploite sa conversion, en en faisant une révélation de ce qui est juste.

Les deux derniers taziehs sont les plus dramatiques.

Le tazieh du neuvième jour est le tazieh d'Abbas Aboul Fazel. Il est le jeune frère de Hussein, en fait son demi-frère, car Aboul Fazel est le fils de la deuxième épouse d'Ali. Il veut aller chercher de l'eau dans l'Euphrate qui n'est pas loin, mais inaccessible car le camp est cerné. C'est alors qu'il est pris par les soldats de Yazid qui lui coupent les deux bras. Il retourne au camp, rapportant un seau d'eau qu'il tient entre ses dents.

Le tazieh du dixième jour se dit en persan *Hafta-dodotan* : *Haftad* signifiant soixante-dix, *tan* voulant dire deux, soit le tazieh des soixante-douze. En arabe, c'est l'*Achoura*, le jour de la tragique mort de l'imam Hussein, et de tous ceux qui sont encore vivants. On y retrouve tous les événements dramatiques des derniers jours, tous les personnages qui ont joué un rôle important, même s'ils sont déjà morts. Car dans chaque tazieh se joue un peu de chaque épisode de chaque jour, plus un moment privilégié centré sur un protagoniste.

Ce jour de l'Achoura, le camp est attaqué, pillé, incendié par l'armée du calife. Les femmes et les enfants qui ont survécu au massacre sont capturés, dont Ali Zayn al-Baqir, fils de Hussein, qui sera le quatrième imam des chiites. Tous les hommes sont tués, leurs corps décapités sont abandonnés sans sépulture.

Le cycle de l'Achoura se clôt ainsi, mais il existe des taziehs représentant les jours suivants, celui du onzième jour, lorsque la famille de Hussein est conduite captive dans le palais de Yazid ; celui du douzième jour, lorsque les soldats quittent le camp avec les têtes piquées sur leurs lances.

Selon la tradition chiite, des villageois vinrent enterrer les corps et, quarante jours plus tard, les survivants, ceux qui avaient réussi à s'échapper et qui s'étaient cachés à proximité, se recueillirent sur les tombes. Ce recueillement marque l'acte de naissance de la commémoration.

En brodant sur le thème du massacre de Karbala, de nombreuses pièces ont été écrites, construites chacune autour d'un épisode particulier du cycle de l'Achoura, ou de l'histoire de l'un des membres de la famille des descendants du Prophète, d'Ali, ou des partisans. Ainsi, il existe le tazieh du martyre de Moslem, un compagnon de Hussein ; celui des enfants de Moslem ; d'Ali Akbar, le fils aîné de Hussein ; celui de Kassem, le fils de son frère Hassan ; des enfants de Zeinab, sœur de Hussein...

Pour faire le rapprochement avec le monde chrétien médiéval, on peut penser aux nombreux *mystères* (du latin *misterium*, cérémonie) qui rejouaient la vie des apôtres ou les événements les plus dramatiques de la Semaine sainte : la Trahison de Judas, le Reniement de Pierre, la Dernière Cène, la Crucifixion, la Mise au tombeau, etc.

Les taziehs sont profondément tragiques, mais leurs personnages, même s'ils sont les héros de l'islam, des guerriers valeureux, restent tout autant des hommes qui souffrent de la faim et de la soif, de chagrin, du sentiment d'injustice. Hussein, qui est plus qu'un héros religieux, car il est la personnification du martyre, du sacrifice, de la pureté et de la justice, lui qui est l'imam, issu de la chair et du sang du Prophète, est tout autant un père qui pleure la mort de son fils Ali Akbar... Le sentiment d'injustice n'en est que fortifié.

Le tazieh porte en lui trois valeurs : artistique, psychologique, politique. La valeur artistique du tazieh se révèle à travers son évolution qui, partant d'une simple commémoration religieuse, est convertie en un véritable art du spectacle, que l'on dote d'une importante mise en scène. A partir d'un événement historique relativement simple, mais fondamental dans l'histoire du chiisme, les auteurs ont monté des pièces riches de détails particulièrement évocateurs, destinées à une

meilleure compréhension du spectacle. Tous les spectateurs iraniens, depuis leur enfance, connaissent par
cœur tous les détails du drame de Karbala, mais le
déroulement et la rapidité avec laquelle s'enchaînent
les événements sur la scène risqueraient de les décon-
certer. Le taziéh va adopter de nombreux codes desti-
nés à permettre aux auditeurs de s'y retrouver, comme
un code vestimentaire : les « bons », ceux de la famille
et des partisans de Hussein, sont habillés de vert ; leurs
textes ne sont pas déclamés, mais chantés d'une voix
douce sur des modes de musique traditionnelle ; alors
que les « mauvais », les partisans de Yazid, sont vêtus
de rouge, la couleur du martyre[1], ce sont eux qui ver-
sent le sang ; leurs monologues ne sont pas chantés,
mais déclamés avec affectation, d'une voix rauque,
d'un ton irrité... Un code d'expression gestuelle : un
tour sur soi-même pour signifier que l'action a changé
d'endroit, un tour de scène ou plusieurs pour indiquer
que de longues distances ont été franchies ; les bons
combattants se battent de face, les mauvais se regrou-
pent pour les frapper de dos ; de grandes claques sur
la cuisse pour manifester la stupéfaction ou la colère.
Dans les taziéhs primitifs, les éléments relatifs aux
lieux ont été matérialisés par des objets : une fontaine
représentant l'Euphrate, une botte de foin une prairie...

C'est probablement à la fin du XVIIe siècle que les processions, qui pouvaient durer cinq heures, vont donner
naissance à une véritable dramaturgie, dotée d'un sens

---

1. Il est d'usage de ne pas porter de rouge en Iran aujourd'hui,
cette couleur étant encore réservée aux martyrs.

de la mise en scène. Sous le règne des Qadjars (1794-1925)[1], le tazieh a atteint son âge d'or : on peut dès lors parler d'un authentique art dramatique, qui émerveillera les diplomates et les grands voyageurs occidentaux. Vers 1840, le diplomate polonais Alexandre Chodzko écrit : « Les pompes du grand Opéra de Paris, qui font l'admiration des Parisiens, paraîtront autant de guenilles au beau monde de Téhéran. »

Comment mieux expier ses fautes qu'en participant à la représentation des souffrances de l'imam Hussein à Karbala ? Pour les chiites, cette tragédie incarne bien plus qu'une lutte pour le pouvoir. Ce qui se joue à Karbala, c'est l'affrontement du bien et du mal ; on retrouve ici le fondement de la doctrine zoroastrienne[2], ancienne religion de la Perse, l'histoire éternelle de la lutte des opprimés contre leurs oppresseurs, le juste droit à la révolte contre l'injustice et la souffrance.

Les spectateurs participent au martyre de Hussein par des sanglots, des pleurs, des cris, des actes de flagellation, des actes de dévotion comme ceux de ramasser la poussière tombée de l'épée qui a tué Hussein, ou de toucher le récipient contenant l'eau de l'Euphrate qu'a porté un martyr.

Le tazieh est aussi un exutoire à des superstitions plus primitives, car l'implication n'est pas exclusivement d'ordre financier, elle peut aussi engager directement la personne. L'engagement de jouer est fréquemment le fruit d'une offrande surérogatoire : le remerciement d'un vœu

---

1. Voir note p. 89.
2. Voir note 1, p. 67.

exaucé. Très souvent, il s'agit d'hommes qui, après de longues années de mariage, ne sont toujours pas parvenus à la paternité, ou bien d'autres qui souffrent d'infirmité, de maladie. Alors, le jour de l'Achoura, ils font un vœu…, si celui-ci est exaucé, certains assurent une partie du financement, d'autres s'engagent à jouer le tazieh. Plus le rôle est important, plus l'implication a de valeur : durant des années, un de ces hommes ne joua que le rôle de Shemr.

Il n'y a pas d'acteurs professionnels qui participent au tazieh, car avant d'être du théâtre, il est une cérémonie religieuse, une célébration. Si le tazieh a adopté du théâtre un cadre architectural, une mise en scène, il n'y a ni actes, ni scènes, ni entracte, ni applaudissements. La différence fondamentale avec le théâtre, c'est qu'il n'y a pas d'identification, de projection, car les acteurs ne prétendent pas, comme on le conçoit en Occident, être les personnages qu'ils incarnent. Les acteurs du tazieh sont porteurs de signes, ils représentent dans le sens étymologique du mot, ils rendent présents leurs référents.

Très tôt, les chiites ont organisé des cérémonies pour célébrer la tragédie de Karbala. Au XVIIe siècle, la commémoration du martyre de Hussein est un des arguments du chiisme face aux sunnites.

L'exploitation politique du tazieh se note particulièrement à trois moments charnières de l'histoire de l'Iran.

Il n'existe pas de documents historiques attestant précisément du nombre de jours, ni des événements des journées qui précèdent la mort de Hussein tels qu'ils sont racontés dans le cycle de l'Achoura. Afin de dramatiser les circonstances du massacre de Karbala et de renforcer l'injustice de la mort de l'imam Hussein, les mollahs ont créé les neuf jours qui ont précédé l'Achoura, ils ont inventé des personnages, comme les deux fils de Hor, et des faits, comme la lettre envoyée par Yazid à Hussein.

Après l'arrivée au pouvoir des Séfévides en 1501, le chiisme devient la religion officielle de l'Empire, et c'est alors que les cérémonies du mois de Muharram prennent une nouvelle ampleur. Pour les Séfévides, l'objectif est évident : utiliser à des fins politiques l'émotivité populaire en appelant les chiites à venger le sang de l'imam Hussein, et à se regrouper derrière leur Chah, étendard du chiisme face aux Ottomans sunnites. Au sein de l'empire séfévide, une partie de la population ne s'est pas convertie au chiisme, et lors des processions, cette communauté sunnite manifeste son opposition. Des affrontements sanglants ont lieu : les partisans des deux camps se livrent à des simulacres de batailles, durant lesquels des gens meurent, faisant revivre, peut-être à leur insu, la bataille de Karbala. Pietro Della Valle, qui assiste à ces événements, écrira quelques années plus tard : « Les gens croient que si quelqu'un meurt pendant ces journées au cours d'un combat, il ira droit au ciel. »

Lors de la révolution constitutionnaliste de 1905-1911, la commémoration sert aux oulémas à propager les idées d'opposition face aux Qadjars. Enfin, lors de l'agitation socio-religieuse qui connaît son paroxysme en 1978-1979, les thèmes de la commémoration servent cette fois aux opposants du régime Pahlavi.

Entre 1935 et les années 1960, le tazieh est interdit. Avec l'arrivée au pouvoir de Reza Chah Pahlavi

en 1925, le fondateur de la dynastie Pahlavi[1], l'Iran
accélère sa modernisation par la création d'universités,
l'amélioration du système éducatif, l'industrialisation.
Le Chah bouleverse l'ordre social établi en accélérant
les réformes et en essayant d'imposer la modernité occidentale en Iran, allant jusqu'à l'interdiction du port du
voile pour les femmes et l'obligation pour les hommes
de se vêtir à l'européenne... Le tazieh perd alors le
patronage officiel de la Cour dont il bénéficiait sous
les Qadjars : ce souverain autoritaire ne pouvait que se
défier d'un rituel religieux qui glorifiait la lutte contre
l'oppression et la tyrannie... Le tazieh est purement
et simplement interdit vers 1935. Pourtant, il continue
à se jouer, émigrant alors dans les campagnes, où les
villageois font le guet pendant les représentations, ou
bien se déroulant la nuit. Un témoin de ces années
raconte : « Les gendarmes faisaient des descentes dans
les villages et déchiraient les vêtements des acteurs. »
Au début du règne de Mohammed Reza Chah, le dernier chah d'Iran (1941-1979), il est toujours interdit.
Puis, durant les années où s'amorcent la « Révolution
blanche » et la série de réformes agraires par distribution des terres, au début des années 1960, le tazieh est
à nouveau toléré. Peut-être dans le but de ménager le
clergé chiite, mécontent à la suite de cette révolution
qui lui a enlevé la plupart de ses pouvoirs traditionnels
et a diminué son influence dans le milieu rural.

---

1. La dynastie Pahlavi (1925-1979) est la dernière dynastie à
régner en Iran avant la révolution islamique. Elle fut fondée par
Reza Khan, couronné en 1926 sous le nom de Reza Chah Pahlavi.

Le tazieh va être redécouvert par les responsables du festival de Chiraz, qui organisent des représentations officielles juste avant la révolution islamique de 1979. Durant les années 1960, le cinéaste et historien Farrokh Ghaffary, parmi d'autres, va travailler à le faire revivre. Ghaffary, directeur adjoint de la télévision pour la culture et directeur du Festival des arts de Chiraz, prend conscience que ce théâtre populaire est en voie de disparition. Le tazieh fait alors son apparition à la télévision, puis au festival de Chiraz, où il est découvert par des metteurs en scène d'avant-garde comme Peter Brook ou Jerzy Grotowski.

Arrivé au pouvoir en 1979, le nouveau régime montre plus que de la défiance face au tazieh, s'interrogeant sur la valeur orthodoxe de ces représentations. Les mollahs songent à l'interdire, prenant prétexte de ce que l'impératrice Farah Diba avait été marraine du festival de Chiraz. Probablement, comme tout pouvoir, se méfient-ils, en réalité, des regroupements populaires difficilement contrôlables. Finalement, le tazieh est officiellement toléré, et encore une fois utilisé comme instrument de pouvoir servant à consolider la foi des gens simples. En 1991, le tazieh se produit sur scène au festival d'Avignon ; en 2005, à Paris, sur les écrans lors d'un festival à la Cinémathèque du Trocadéro, et très récemment, en juin 2006, au 24e Festival international de théâtre de Fribourg. A cette occasion, un cinéaste iranien a présenté, hors compétition, son dernier documentaire qui s'intitulait *A Look to Tazieh*.

Aujourd'hui, le tazieh a perdu de son éclat d'antan. Sa rigueur, qui se traduit par une mise en scène sommaire, des costumes, des accessoires et des décors minimalistes – banderoles citant le Coran, drapeaux –, ne favorise ni sa modernisation ni sa diffusion. Nombreux sont ceux qui s'interrogent : le taziéh doit-il se renouveler, aller vers une modernisation, s'actualiser, pour accroître son public, ou bien se protéger pour garder sa pureté, au risque d'être relégué au rang de tradition folklorique ? Mais ceux qui posent la question en termes de modernité ou de tradition semblent faire abstraction du rôle fondamental, originel et intrinsèque du taziéh : alimenter la mémoire du peuple chiite iranien dans le but d'affermir sa foi.

Aujourd'hui, si le taziéh se joue encore dans tout l'Iran, dans chaque grande ville, et dans tous les villages, autour d'Ispahan, de Tabriz, de Yazd, il est contrôlé par les mollahs, qui détiennent le pouvoir d'autoriser ou non les metteurs en scène et les acteurs à le représenter. Les compétences de ces derniers ne sont reconnues que s'ils affichent une conduite de bons musulmans, c'est-à-dire s'ils participent à la grande prière collective du vendredi, s'ils ne tiennent pas de propos considérés comme une atteinte à l'islam. Ceux qui, depuis la révolution islamique jusqu'à aujourd'hui, n'entraient pas dans le moule, se sont exilés.

8

Le sigheh

Si la première épouse de Mouhammad était une femme indépendante et influente, le Coran établit des différences marquées entre les deux sexes : les hommes y sont décrits comme robustes et rationnels, les femmes comme fragiles et sensibles. Cette dichotomie destine la femme à un rôle de mère et d'épouse attentive. Mais elle réduit son autonomie et son autorité. Le statut de la femme en islam relève surtout des affaires familiales.

Mais il existe une différence fondamentale dans la conception du couple entre sunnites et chiites : la pratique chiite du mariage temporaire, appelé *mout'a* en arabe et *sigheh* en persan.

Pour les sunnites, cette forme d'union aurait été interdite par le Prophète ; les chiites attribuent cette interdiction à Omar, le deuxième calife. Mais d'aucuns considèrent qu'elle est nulle et non avenue dans la mesure où aucun homme n'a le pouvoir d'interférer sur un droit religieux. C'est ainsi que ce type de mariage perdure.

Appartenant à la doctrine chiite, le sigheh est inscrit dans la Constitution de la République islamique d'Iran. Reste que sa légitimité sociale fait débat dans la société iranienne.

Le sigheh consiste en un accord oral entre un homme et une femme. Le mariage peut durer une heure, un jour, un mois, un an ou plus. Moyennant une somme payable à l'avance, la femme se donne à l'homme pour la durée choisie. A son terme, le mariage peut être renouvelé. La dot (*mahr*) est nécessaire, même si elle est symbolique. Son paiement et la durée du contrat sont les deux éléments essentiels de ce type de mariage. Les enfants nés de cette union ont droit à l'héritage de leurs parents et doivent être reconnus et entretenus par leur père. Les uns y voient une protection pour des enfants nés hors du mariage permanent. Les autres l'assimilent à une forme de prostitution.

En théorie, le but du sigheh est d'autoriser les relations sexuelles hors du mariage permanent. Il permettrait ainsi de parer aux problèmes d'adultère pendant les longs voyages, les cycles de menstruation, la maladie, ou encore serait un recours pour les veuves qui ont des difficultés à se remarier. L'islam reconnaît que les hommes peuvent être soumis à des pulsions, tandis que les femmes seraient désireuses d'affection.

Ainsi, la polygamie et le sigheh décourageraient les hommes de fréquenter des prostituées et les femmes de vendre leur corps.

Par le biais du sigheh, l'homme et la femme peuvent s'offrir l'un à l'autre tout en respectant la loi islamique.

Les religieux iraniens, principalement pour faire diminuer le nombre de rapports sexuels hors mariage, ont publiquement encouragé cette pratique. Mais l'opinion publique y est défavorable. Alors, pour satisfaire tous les milieux, la loi tente de s'adapter en en offrant deux variantes : le mariage temporaire non sexuel et le mariage temporaire sexuel.

Lors de la signature du contrat temporaire, la femme peut insérer une clause stipulant qu'il n'y aura pas consommation du mariage. Ainsi, les familles très pieuses y recourent pour laisser aux futurs époux le temps de se découvrir, avant un éventuel mariage permanent. La femme peut, en revanche, changer la clause à tout moment et transformer l'union en mariage sexuel. Lorsque cela a lieu, il n'est plus possible de revenir à l'option non sexuelle par la suite.

Le mariage non sexuel est aussi utilisé pour s'assurer que les relations avec des hommes se déroulent sans péché. Ainsi, les femmes qui se trouvent travailler aux côtés d'hommes avec lesquels elles n'ont pas de lien de parenté peuvent y recourir. Il est également pratiqué dans de petits villages, où les personnes sont amenées à se croiser souvent, ou encore lorsqu'une femme désire lever son voile devant les hommes de la famille de son gendre ou de sa belle-fille sans se sentir pécheresse. Dans ces cas, le mariage peut ne durer que quelques minutes.

N'impliquant pas la perte de la virginité, le sigheh non sexuel n'influence pas l'image de la femme qui l'a contracté. Le mariage temporaire sexuel, en revanche, employé pour les mêmes raisons que la polygamie et communément appelé « mariage de jouissance », est différemment perçu. Dans la doctrine chiite, le plaisir est son seul objectif.

Base de la famille, qui est la plus importante institution sociale, le mariage permanent est nécessaire à la fondation d'un foyer, synonyme d'amour et de stabilité. Il implique une solidarité et un partage constants entre les époux ; au contraire du mariage temporaire où, dès le début, l'homme déclare à sa femme qu'il l'a choisie pour une durée déterminée au-delà de laquelle elle n'aura plus rien à attendre de lui.

Finalement, très peu de mariages temporaires aboutissent à un mariage permanent, tant ils sont ressentis comme une honte, dans un pays où contracter un mariage permanent, pour une femme qui n'est plus vierge, relève de l'impossible. Et il est rare qu'une femme consente à devenir l'épouse provisoire d'un homme.

Ainsi, le mariage temporaire en Iran présente deux limites. D'une part, de nombreuses femmes espèrent finir par le transformer en mariage permanent, ce qui aboutit rarement. D'autre part, elles ont des difficultés à contracter un mariage permanent avec un autre homme une fois qu'elles ont perdu leur virginité. Et leur réputation en sort irrémédiablement abîmée.

En encourageant le sigheh, les gouvernements successifs ne se préoccupent pas de valeurs acceptées dans leur société. Ils ne font rien pour améliorer l'image des mariées temporaires.

Les autorités dépeignent l'union provisoire comme amélioratrice de la condition des femmes. Elles seraient ainsi protégées par un contrat qui leur garantirait de l'argent et un héritage pour les enfants qui en seraient nés. Mais, plutôt que d'améliorer le droit des femmes, le sigheh n'encourage-t-il pas une prostitution licite ?

Qu'elle soit encensée ou décriée, il est indéniable que le pouvoir préfère fermer les yeux sur les effets moraux et sociaux de cette union sur les femmes, afin de rester dans les règles de l'islam.

9

Le chiisme des origines
à nos jours

Les chiites représentent, toutes sectes confondues, moins de 10 % de l'ensemble des musulmans. A l'exception du golfe Persique, où ils constituent plus de 90 % de la population en Iran et 70 % à Bahreïn et où gît plus de la moitié des ressources pétrolières mondiales, les chiites sont donc minoritaires dans le monde musulman. Dès son origine, le chiisme est une religion de minorités, d'exclus, de persécutés. La lutte contre le sunnisme prend donc un caractère de revanche et s'inscrit dans le projet de rétablissement de la justice qui accompagnera le retour du Mahdi. Après la chute des Fatimides (1171), les chiites sont de nouveau rejetés par la communauté majoritaire ; ils vont donc se mettre à l'abri dans les zones montagnardes et se renferment sur eux-mêmes : ce fait historique se traduit encore aujourd'hui par l'existence du djebel druze et du djebel alaouite en Syrie, ou de la montagne zaydite au nord du Yémen. Seule la Perse devient, à partir du XVIᵉ siècle, une terre de domination chiite ; partout ailleurs, cette branche est réduite au statut de paria.

LE CHIISME NON ARABE

Le chiisme iranien

C'est en 1501 que la dynastie des Séfévides, issue de tribus turques d'Asie centrale, impose le chiisme duodécimain à l'Empire perse. Certains y voient la volonté de ces anciens nomades turcs de créer un contrepoids au sunnisme, hégémonique dans la région. La Perse étant à l'époque en grande partie sunnite, un large mouvement de conversion a été nécessaire pour rendre cette décision effective. Subsistent d'ailleurs en périphérie de l'Iran des minorités ethniques, tels les Turkmènes, les Kurdes, ou les Baloutches, d'obédience sunnite. S'engage dès lors un long processus de fusion : le chiisme va progressivement devenir une des composantes essentielles de la nation iranienne. C'est au XVIIIᵉ siècle, avec l'arrivée de la dynastie Qadjar[1], que

---

1. Les Qadjars (1794-1925) sont issus d'une tribu turcomane. Le deuxième souverain qadjar Fath Ali Chah (1797-1834) établit des règles de succession pour éviter l'instabilité politique des changements de règne. Il fait appel à des officiers européens pour moderniser l'armée, mais ne peut éviter la pénétration russe au début du XIXᵉ siècle. Son successeur fait face à une dissidence religieuse qui dégénère en guerre civile, et doit affronter en même temps les appétits des puissances russe et britannique. Nasser el-Din Chah (1848-1896), premier souverain persan à voyager en Europe, réorganise l'administration et fonde des universités. Une grève du tabac (1890) l'empêche d'en octroyer le monopole à une compagnie britannique, et il est, fait unique dans la Perse contemporaine, assassiné par un clerc. L'ouverture à l'Occident donne aux élites un désir de modernité en même temps que l'ambition d'un

cette assimilation chiisme-Iran s'opère ; cette période voit en effet le chiisme s'institutionnaliser et prendre la forme d'un clergé hiérarchisé, aidé en cela par les théories justifiant la guidance de la communauté par le juriste théologien. Le courant majoritaire à l'époque (le courant *usulz*) considère en effet qu'il revient au haut clergé de s'attribuer un certain nombre de prérogatives réservées à l'imam, l'interprétation du Coran par exemple.

Le clergé fonde son assise sociale sur son autonomie financière : les dons qu'il perçoit lui permettent de développer les aides aux déshérités, de mettre en place des écoles coraniques, etc. En somme, les religieux consolident leurs positions là où l'Etat n'est que peu présent, voire complètement absent. Parallèlement à cette action, le clergé chiite institutionnalise des rites dans lesquels se reconnaîtra bientôt l'ensemble des Iraniens : c'est notamment le cas du rite de l'Achoura, qui commémore chaque année le martyre de Hussein à Karbala. Il se pose ainsi, aux yeux des croyants, comme le garant de la justice et de la vérité face à toute forme de tyrannie. A la fin du XIXe siècle, le clergé se constitue en véritable contre-pouvoir face à une dynastie Qadjar sur le déclin. En 1890, il coordonne un soulèvement populaire contre une décision du Chah de donner le monopole de la culture et du commerce du tabac à l'Angleterre. Cet épisode achève de le propulser

---

Etat capable de résister à l'ingérence étrangère. Cette fermentation intellectuelle aboutit à l'élaboration d'une Constitution (1906). Ce système constitutionnel durera, du moins formellement, jusqu'à la révolution islamique (1979).

sur la scène politique en tant que défenseur des intérêts de la nation.

Dès le début du XXᵉ siècle, le clergé doit résister à la montée d'un courant moderniste qui influence de plus en plus le Chah. En 1906, des réformes libérales élaborées sur un modèle occidental se traduisent par un recul du clergé, assimilé à un frein au progrès. L'apogée de cette confrontation intervient après le coup d'Etat de Reza Khan, en 1921. Ce grand admirateur de Mustafa Kemal entend inscrire l'Iran dans un mouvement de modernisation national et laïque. Le clergé, marginalisé par le pouvoir en place, en profite pour exploiter les frustrations issues de réformes souvent brutales[1]. Le chiisme iranien va, à cette époque, se laisser pénétrer d'idées tiers-mondistes et devenir le fer de lance de la révolte et du refus de l'ordre établi. La tentative des chahs d'écarter le clergé du pouvoir n'a fait que rapprocher le chiisme de sa force révolutionnaire originelle. C'est en mettant l'accent sur la très ancienne idée de gouvernement illégitime que le clergé a pu coordonner la révolte de 1979.

La politique extérieure de l'Iran après la révolution islamique répond à deux logiques : maintenir une influence régionale et se prémunir de toute menace émanant de ses rivaux. L'Iran mène en premier lieu une politique pan-chiite qui l'amène à coordonner les com-

---

1. Yann Richard, « L'échec de la modernisation », *Les Collections de l'Histoire*, n° 42, 2009, pp. 66-71. Contrairement à Mustafa Kemal, qui a un projet relativement précis de réformes modernisatrices et allie fermeté et pédagogie, Reza Pahlavi agit de manière impulsive sans avoir au préalable unifié le pays.

munautés chiites de la région : son influence s'exerce principalement sur les milieux chiites duodécimains ; son emprise est quasiment nulle sur le monde ismaélien. En outre, le régime des ayatollahs se pose en garant de la vérité islamique et ambitionne donc de diffuser la révolution chiite dans la région. Parallèlement, et de façon plus pragmatique, l'Iran tente de sortir de l'encerclement dans lequel la Turquie et l'Arabie Séoudite, puissances sunnites, le maintiennent. Cette crainte de l'encerclement est l'un des éléments moteurs de la politique extérieure de l'Iran, d'où le soutien aux minorités chiites de la région.

Le dilemme azéri

Ancienne province de l'Empire perse, l'Azerbaïdjan passe dans le giron soviétique au début des années 1920, avant de proclamer son indépendance en 1991. L'origine du chiisme azéri remonte au XVIe siècle, moment où les populations nomades d'origine turkmène, elles-mêmes converties au chiisme, ont envahi la région. Une filiation religieuse s'opère dès lors entre Azéris et Persans.

Toutefois, l'Azerbaïdjan ne peut se défaire totalement de son héritage turc, les liens linguistiques et culturels demeurant importants avec ce pays. La Turquie tente d'ailleurs de jouer sur cet héritage pour se poser en leader de l'ensemble du monde turc. Elle met en avant une solidarité ethnico-nationale qui, si elle rencontre un certain écho dans les milieux laïques, ne suffit pas à mobiliser la majorité chiite, qui représente 75 % de la population.

Dans le même registre, son appartenance au chiisme duodécimain ne fait pas de l'Azerbaïdjan un vassal de l'Iran. Il ne faut pas oublier que l'occupation soviétique a profondément laïcisé la société azérie ; le chiisme est actuellement en phase de réveil, mais demeure loin de guider les choix de société. En outre, stimuler sans retenue le chiisme azéri pourrait amener les vingt millions d'Azéris présents sur le territoire iranien, galvanisés par une référence religieuse commune, à revendiquer leur rattachement à l'Azerbaïdjan.

On se doit d'évoquer également la place des Etats-Unis dans la région ; dès la chute de l'URSS, les Américains ont investi le territoire azéri en finançant la transition à l'économie de marché. En contrepartie, les dirigeants azéris leur ont offert leur soutien politique ainsi que des avantages économiques, dans le domaine pétrolier notamment. Ce dernier aspect affaiblit encore un peu plus la capacité d'influence de l'Iran sur l'Azerbaïdjan.

Les Hazaras d'Afghanistan

Conquise au XVIIe siècle par l'Empire perse, la région de l'Hazaradjat est rapidement convertie au chiisme duodécimain. Un siècle plus tard, les tribus pachtounes soumettent les Hazaras et les intègrent dans un nouvel Etat : l'Afghanistan. Les Pachtounes font de leur pays le garant de l'orthodoxie sunnite face aux sectes dissidentes considérées comme hérétiques. Commence dès lors la répression des Hazaras, privés de leurs terres, de leurs droits politiques et sociaux. Cette communauté chiite possède donc, dès l'origine de l'Afghanistan, un statut d'exclue.

La venue au pouvoir d'Aminullah en 1919 représente un espoir d'émancipation pour les Hazaras, qui croient à sa volonté d'intégration des minorités. Ils émigrent donc vers les villes, mais forment rapidement un sous-prolétariat au service de la majorité pachtoune. Cette situation de domination renforce les liens de la communauté hazara et contribue à l'émergence d'un clergé chiite soutenu par l'Iran. L'invasion soviétique de 1979 leur fournit l'occasion de refuser la domination pachtoune : la convergence entre la lutte armée contre l'occupant russe et le réveil religieux fait émerger chez eux une nouvelle conscience politique. Téhéran seconde cette mutation et favorise la création d'un parti pro-iranien, le Nasr. Au sortir de la guerre en 1989, les Hazaras représentent une entité politique à part entière. Ils s'allient dès lors aux Tadjiks et aux Ouzbeks dans la lutte contre l'hégémonie pachtoune. L'Iran profite de ce réveil hazara pour accentuer sa présence en Afghanistan ; il soutient et finance des partis chiites tandis que, parallèlement, l'Arabie Séoudite apporte son aide aux partis pachtounes sunnites.

L'arrivée des Talibans au pouvoir en 1994, avec la bénédiction des Etats-Unis à travers le Pakistan, change totalement la donne. Ces pachtounes sunnites revendiquent un islam rigoriste et combattent l'existence de sectes dissidentes. Les chiites sont dès lors violemment réprimés, et retrouvent un statut de parias. Cette évolution a renforcé le lien entre Hazaras et Iraniens, face à une alliance entre les Talibans et le Pakistan.

Les Hazaras représentent 16 % de la population afghane et constituent l'un des alliés les plus fidèles de l'Iran dans la région.

Les Alévis de Turquie

Les chiites alévis représentent près d'un quart de la population turque, proportion étonnante dans un pays longtemps bastion du sunnisme. Cette population se situe principalement dans le sud-est de l'Anatolie ; leur conversion au chiisme duodécimain remonte aux passages des tribus nomades au XVIIᵉ siècle.

Le chiisme pratiqué par les Alévis diffère de celui adopté en Iran sur plusieurs points : en premier lieu, ils ne disposent pas d'un clergé organisé et structuré comme on peut en trouver en Iran ; en second lieu, leur théologie, développée de façon autonome, incorpore des thèmes étrangers à l'islam. Cette originalité a justifié de nombreuses persécutions opérées par le pouvoir ottoman. Cette situation d'exclusion explique le ralliement massif des Alévis à la République laïque d'Atatürk, seule garante de leur sécurité. Ils commencent dès lors à émigrer vers l'intérieur du pays et s'intègrent dans les partis politiques de gauche et les syndicats : ils fondent ainsi le *Birlik Partisi* (Parti de l'Unité) en 1966 et le *Barış Partisi* (Parti de la Paix) en 1996.

La montée du fondamentalisme sunnite en Turquie est perçue comme une menace par la communauté alévie. La seconde moitié des années 1990 a vu se développer des émeutes anti-Alévis dans les grandes villes d'Anatolie. Ce conflit a eu des résonances jusqu'en Allemagne, où 63 % des musulmans sont d'origine turque et où la communauté alévie (12 à 13 % de l'ensemble des musulmans allemands) a subi des pogroms.

Les chiites du sous-continent indien

Le commerce et la conquête menée par les populations turcophones venues du Nord furent les deux vecteurs de l'islamisation de l'Inde. Dès le XVIIIe siècle, l'influence persane provoque une vague de conversions au chiisme.

On relève une présence de chiites duodécimains au nord de l'Inde tandis que les ismaéliens, divisés en plusieurs communautés, se situent sur les côtes occidentales de l'Inde ainsi qu'au sud du Pakistan. Ceux qu'on appelle les ismaéliens nizârites, descendants de la fameuse secte des Assassins[1], reconnaissent l'autorité de la dynastie des Aga Khan (fondée au XIXe siècle), très puissante financièrement.

Les chiites d'Inde sont minoritaires en comparaison de la masse hindoue, mais également des autres musulmans : ils ne représentent en effet que 10 % de la population musulmane du pays. Si l'indépendance a imposé un statut égal pour chacune des confessions, la situation est loin d'être pacifiée ; les 25 millions de chiites indiens sont rejetés au même titre que les sunnites par les hindous, et parfois persécutés par des sunnites intégristes.

Au Pakistan, les 30 millions de chiites font également l'objet de discriminations et d'exactions, ce qui

---

1. Fondée par Hassan Sabbah au XIe siècle, la secte des Assassins est réputée pour le fanatisme de ses membres, prêts à mourir et à tuer sur ordre de leur chef. Le terme « assassins » serait d'ailleurs un dérivé de *hashishin*, c'est-à-dire fumeurs de hashish. La légende veut en effet que Hassan Sabbah se soit servi de cette herbe pour fanatiser ses affidés et les persuader que leurs missions suicidaires leur ouvriraient directement les portes du Paradis.

les a amenés à se radicaliser. Les dirigeants ne cachent pas leur inquiétude face à l'émergence de groupes chiites extrémistes dans la région de Karachi. Ils craignent en effet une instrumentalisation de ces milices par l'Iran, qui y voit un levier de déstabilisation d'un pays allié des Etats-Unis.

LE CHIISME ARABE

Le chiisme irakien

Né en Irak, le chiisme duodécimain est pratiqué par près de 60 % de la population de ce pays. Pourtant, cette secte a toujours été en situation de minorité politique ; comment expliquer ce paradoxe ?

Après la Première Guerre mondiale, le démantèlement de l'Empire ottoman donne lieu à la création de l'Irak par les Anglais[1]. Ces derniers réunissent pour cela les villes de Bagdad, Bassorah et Mossoul, et placent à la tête de ce nouvel Etat le fils du chérif Hussein de La Mecque, le prince Fayçal[2].

---

1. Anglais et Français se répartissent à l'avance les dépouilles de « l'homme malade » par les accords de Sykes-Picot conclus en 1916. Le Levant, essentiellement la Syrie et le Liban, revient à la France, tandis que la Grande-Bretagne, déjà présente en Egypte, hérite de la Palestine et de l'Irak.

2. Ceci en récompense de l'aide apportée aux Britanniques par la puissante famille hachémite, qui souleva une partie de l'Arabie contre les Ottomans pendant la Première Guerre mondiale.

L'Irak permet non seulement à l'Angleterre d'achever l'ouverture de la route terrestre vers les Indes, mais également de contrer la montée en puissance de l'Arabie Séoudite dans la région.

Ce nouvel Irak présente alors une grande diversité ethnico-culturelle : y sont réunis les populations chiites du *vilayet* (province de l'Empire ottoman) de Bassorah, les sunnites de Bagdad et les Kurdes de Mossoul. Les régions kurdes étaient à l'origine sous mandat français, mais Clemenceau, ignorant leur richesse en pétrole, les céda à Lloyd George. Dès la création de l'Etat irakien, les masses chiites du Sud, moitié nomades, moitié paysannes, se trouvent sous l'autorité des sunnites, comme elles l'ont été pendant des siècles sous l'Empire ottoman. En 1920, les chiites se révoltent contre cette domination de la dynastie sunnite ; les Anglais, alliés des Hachémites sunnites, répriment ce soulèvement dans le sang. Même après l'indépendance accordée en 1930, les Anglais conservent de bonnes relations avec les Hachémites, et donc une capacité d'influence sur le pays.

Avec la Guerre Froide, l'Irak n'échappe pas au jeu des grandes puissances et devient un élément du dispositif d'encerclement de l'URSS en étant l'un des signataires, en 1955, du pacte de Bagdad[1]. En 1958, une révolution porte au pouvoir le parti Baas, dont les valeurs fondamentales sont la laïcité et la modernité. Malgré cet attachement proclamé à la laïcité, le pouvoir

---

1. Signée le 24 février 1955 par l'Irak, l'Iran, la Turquie, le Pakistan et l'Angleterre, cette alliance militaire destinée à contrer les menées soviétiques dans la région (l'Egypte nassérienne penche vers l'Est) est rejointe par les Etats-Unis en 1958.

est toujours entre les mains des sunnites et s'exerce sans partage. La misère pousse les masses chiites à émigrer vers les villes pour trouver du travail. Certains s'intègrent aux partis de gauche pour tenter d'améliorer le sort de leur communauté, au grand dam des religieux pour qui l'athéisme soviétique est tout aussi haïssable que la laïcité baassiste. A la fin des années 1950, d'autres milieux chiites tentent de sortir de l'exclusion en créant un parti politique, le *Dawa al-Islamiya*[1], dirigé à la fois contre le communisme et le laïcisme : il symbolise l'éveil de la conscience politique des chiites d'Irak. Dès cette époque, l'Iran voit dans cette communauté chiite un moyen d'affaiblir l'arabisme de Bagdad, perçu comme une menace. L'Arabie Séoudite voit d'un mauvais œil le rapprochement du régime des chahs avec les chiites irakiens, craignant une perte d'influence sur le golfe Persique, région stratégique où transitent 35 % du pétrole brut transporté par bateau[2].

Sous le parti Baas comme sous Saddam Hussein à partir de sa prise de pouvoir en 1968, la politique menée à l'encontre des chiites répond à la volonté de créer une nation irakienne. Les dirigeants ont vu dans les ressources, la population et la position géogra-

---

1. Ce parti, d'abord soutenu par la lutte armée, est aujourd'hui l'un des principaux partis conservateurs irakiens. Il est dirigé par l'actuel Premier ministre irakien Nouri al-Maliki.

2. L'importance cruciale du détroit d'Ormuz et les tensions qu'il suscite trouvent une illustration le 8 janvier 2012, quand les Etats-Unis font savoir par la voix de leur secrétaire à la Défense Leon Panetta que le blocage du détroit par l'Iran constituerait une « ligne rouge » dont le franchissement entraînerait une réponse américaine.

phique autant d'atouts nécessaires à la création d'une puissance régionale. Leur but était donc de créer un Etat-nation arabe, laïque et moderne, qui dépasserait les particularismes religieux et ethniques. Cette ambition se traduit par la répression du nationalisme kurde et du confessionnalisme chiite. Dans les années 1970, Saddam Hussein expérimente d'autres méthodes pour intégrer les chiites : il mène par exemple une politique d'industrialisation de la région de Bassorah, ou encore se pose en protecteur des autorités religieuses. Le succès de la révolution islamique en Iran change la donne ; l'arrivée au pouvoir du clergé chiite dans le pays voisin en la charismatique personne de Khomeyni représente un risque de déstabilisation du pays. Cette hantise de voir les ayatollahs mobiliser les masses chiites du Sud est d'ailleurs l'un des éléments qui poussent Saddam Hussein à entrer en guerre en 1980. Chacun des belligérants tente alors d'instrumentaliser les populations ennemies, mais, fait intéressant, aucun n'y parvient. En effet, les chiites du sud de l'Irak font passer leur arabité avant leur religion tandis que, pour les Arabes iraniens, leur appartenance à la nation iranienne pèse plus lourd que leur origine ethnique. Toutefois, il ne faut pas sous-estimer la capacité d'influence de l'Iran sur cette communauté. Il existe bien une filiation religieuse indéniable entre les chiites d'Irak et l'Iran, où vont se former de nombreux mollahs irakiens. C'est d'ailleurs pour cette raison que la coalition, en 1991, décide de ne pas renverser Saddam Hussein, craignant l'émergence d'une république chiite au sud du pays.

Depuis la chute du régime de Saddam Hussein en 2003, l'Iran a largement infiltré le territoire irakien et dispose de relais sur place, mais là encore, il faut éviter toute caricature : tous les chiites d'Irak ne sont pas pro-iraniens, certains revendiquent la lutte contre toute forme de tutelle exercée par leur voisin.

Les chiites du golfe Persique

Les chiites représentent 70 % de la population du Golfe et se trouvent une fois de plus en situation d'exclusion sociale dans leurs pays respectifs. Si l'on étudie le cas de la façade orientale de l'Arabie Séoudite, la présence du chiisme date du califat bouyide[1] au Xᵉ siècle. Les Séoud, tenants du wahhabisme, un courant rigoriste de l'islam sunnite, annexent cette région au début du XXᵉ siècle pour l'intégrer à leur futur royaume : cette région, la plus riche en pétrole du royaume, représente actuellement 10 % de la population séoudienne. La cohabitation entre les deux communautés est loin d'être facile ; les wahhabites sont les gardiens des lieux saints de l'islam et se veulent les garants du sunnisme rigoriste, ils acceptent donc mal la présence d'« hérétiques » sur leur territoire. Comme en Irak, le royaume a oscillé entre répression et tentative d'intégration de cette communauté. En outre, la venue de pèlerins chiites, et notamment iraniens, sur son territoire est une source d'inquiétude pour les dirigeants séoudiens : c'est pourquoi ils ont détruit les derniers vestiges du chiisme sur leur sol (en l'occurrence, les tombeaux de certains imams). L'aspect religieux dans

---

1. Dynastie chiite d'origine perse qui règne sur la Perse et sur une partie de l'Irak entre 945 et 1055.

l'affrontement de l'Arabie Séoudite avec l'Iran au Moyen-Orient n'est pas négligeable, et ce, particulièrement depuis 1979 où une rivalité religieuse double la concurrence stratégique de ces deux puissances régionales.

En ce qui concerne le Koweït et le Qatar, les chiites représentent respectivement 25 % et 20 % de la population et se trouvent dans le même type de situation d'exclusion qu'en Arabie Séoudite, même si la répression y est moins violente. Le Bahreïn connaît, lui, une situation plus atypique : une minorité sunnite dirige depuis le XVIIIe siècle cet Etat composé de 75 % de chiites. Ce pays est depuis longtemps revendiqué par l'Iran pour des raisons de filiation historique : il le considère encore aujourd'hui comme une province appelée à se rattacher à la République islamique. Sur le plan intérieur, le Bahreïn, qui connaît déjà une forte agitation sociale, présente un véritable risque d'explosion si la situation d'exclusion politique des chiites perdure. Dans le contexte régional des « printemps arabes », une vague de contestations populaires éclate le 14 février 2011 et dure jusqu'au 17 mars, avec une grève générale et des manifestations. La répression armée, aidée par l'Arabie Séoudite, s'acharne sur les chiites, alors que la confession ne joue pas un rôle fondamental dans la contestation. Malgré les arrestations nombreuses et les procès arbitraires, la rébellion gronde encore. Là encore, il serait faux de croire les chiites du Golfe instrumentalisés par l'Iran, mais la situation d'exclusion qu'ils subissent les rend plus réceptifs au soutien de leur voisin.

Le chiisme zaydite du Yémen

Le chiisme présent au Yémen est de confession zaydite et reconnaît, à ce titre, l'autorité du cinquième imam. Cette branche a servi de base à la construction de l'Etat yéménite au Xe siècle. Seule l'expansion de l'Empire ottoman et de l'Angleterre a poussé les zaydites à abandonner le pouvoir au XIXe siècle. Dès leur retour sur le devant de la scène après la Première Guerre mondiale, les chiites yéménites entrent en rivalité avec leurs voisins wahhabites : le conflit se cristallise sur la région de l'Asir, que le Yémen est contraint de concéder.

Lorsque les Anglais créent la Fédération de l'Arabie du Sud en 1962, futur Yémen du Sud, une révolution républicaine éclate à Sanaa et renverse le pouvoir zaydite. L'affrontement dépasse les frontières du Yémen pour voir intervenir l'Egypte aux côtés des républicains et, de manière plus inattendue, l'Arabie Séoudite derrière les conservateurs chiites. En 1967, la Fédération de l'Arabie du Sud accède à l'indépendance sous le nom de Yémen du Sud. Tout au long des années 1970, les deux pays se prononcent en faveur de la réunification : le régime communiste au Sud, et les républicains au Nord. Les chiites, réfugiés dans les montagnes depuis la prise de pouvoir par les républicains en 1962, n'ont aucunement intérêt à voir se créer un grand Yémen qui verrait leur poids démographique se réduire et leur espoir de retour au pouvoir s'éloigner. Malgré le soutien de l'Arabie Séoudite, les tribus chiites ne peuvent empêcher la réunification en 1990. Depuis lors, elles constituent un contre-pouvoir face aux modernistes de Sanaa.

Les alaouites de Syrie

La Syrie est une véritable mosaïque ethnique et religieuse : s'y côtoient sunnites (83 %), alaouites (13 %), druzes (3 %) et ismaéliens (1 %), pour ne parler que des musulmans (86 % de la population). La confession alaouite résulte d'une division au sein du chiisme au IXe siècle ; ils reconnaissent la légitimité du onzième imam et divergent de la confession duodécimaine sur quelques points dogmatiques également. Les spécialistes peinent à les classer dans un courant chiite, certains les considérant comme ismaéliens, tandis que d'autres les estiment plus proches du chiisme duodécimain. Dès le début marginalisée par les sunnites, cette minorité se réfugie dans la région du djebel, au nord-ouest du pays. Il faut attendre l'arrivée des Français après la Première Guerre mondiale pour voir leur situation évoluer vers une existence politique. La puissance mandataire va en effet accorder l'autonomie aux alaouites et leur créer un Etat[1]. Parallèlement, les alaouites intègrent massivement l'armée syrienne formée par les Français dans l'entre-deux-guerres.

Lors des négociations sur l'indépendance de la Syrie, la France se voit contrainte de changer de stratégie et se prononce pour la création d'une Syrie unitaire dans laquelle s'intégreraient les entités alaouite et druze qu'elle avait elle-même créées. Les alaouites,

---

1. La partition territoriale envisagée par les Français divisait la Syrie en quatre entités, dont une druze et une alaouite. Pour les nationalistes partisans d'une « grande Syrie », c'est le signe de la révolte. Elle éclate en 1925 à partir de la montagne druze. La répression est féroce, Damas est bombardée.

continuellement en conflit avec la majorité sunnite, sont bien évidemment opposés à cette réunification qui signifierait leur retour au ban de la société. Ils voient dès lors dans la laïcité et le nationalisme du parti Baas un moyen d'échapper à l'exclusion. Lorsque la Syrie accède à l'indépendance en 1943, les alaouites investissent le Baas et, à l'aide de l'armée, également acquise à leur cause, prennent le pouvoir en Syrie à la fin des années 1960. Ce triomphe de la minorité alaouite est incarné par le général Hafez al-Assad. Ce dernier, à l'inverse de l'Iran, n'a pas mené une politique de conversion au chiisme, mais s'est juste contenté d'assurer l'emprise des alaouites sur l'Etat syrien. Les sunnites, de façon inattendue, se sont trouvés en position de minorité politique dans un pays où ils sont démographiquement majoritaires.

En matière de politique étrangère, deux constantes se dégagent : le régime des Assad n'accepte pas l'indépendance du Liban, qu'il considère appartenir à la « grande Syrie », et tente dès l'origine de le ramener dans son giron ; il est amené pour cela à s'appuyer sur la minorité chiite contre les maronites, garants de l'indépendance libanaise. Parallèlement, la Syrie s'est longtemps opposée à l'émergence d'une puissance irakienne, ce qui l'a conduite à se rapprocher de Téhéran. L'articulation de ces deux logiques peut faire penser à la construction d'un arc chiite entre les trois communautés. Cette thèse paraît excessive dans le sens où les alaouites sont considérés par les ayatollahs iraniens comme des hérétiques ; parlons plutôt d'une solidarité chiite face à la domination sunnite dans la région, voire d'un pragmatisme politique certain.

Le druzisme

Née au XIᵉ siècle d'une scission avec l'ismaélisme, la secte druze reconnaît l'autorité du sixième imam, al-Hakim. La plupart de ses membres quittent l'Egypte après la chute du califat fatimide pour se réfugier dans les montagnes du Liban. Dès lors, la configuration du pays s'institue, pour ne quasiment pas changer avant le XIXᵉ siècle : les druzes dominent les chiites et les maronites dans les montagnes tandis que les sunnites occupent les plaines et le littoral. L'émancipation économique des maronites au XIXᵉ siècle menace ce système et mène donc les druzes à réprimer violemment les populations maronites. Les massacres de 1860 incitent les grandes puissances à prendre position : la France derrière les chrétiens maronites, supports potentiels du projet de royaume arabe caressé par l'empereur Napoléon III, l'Angleterre derrière les druzes. Ce conflit a pour conséquence l'émigration des maronites vers les plaines, Beyrouth, et parfois l'étranger.

Après la Première Guerre mondiale, les druzes supportent très mal la présence française et se soulèvent en 1925 dans l'actuelle Syrie. La puissance colonisatrice déploie un important dispositif militaire et parvient à mater l'insurrection.

Conformément au découpage territorial opéré par la France durant l'entre-deux-guerres, la communauté druze se trouve partagée en deux ensembles : le premier est intégré au Liban, tandis que le second se voit offrir la possibilité de construire un micro-Etat, bien vite dissous dans la Syrie.

A l'instar des alaouites, mais dans une moindre mesure, la minorité druze présente en Syrie a vu dans la montée du mouvement Baas la possibilité de sortir de l'exclusion ; elle participe dès lors à la construction d'un front anti-sunnite et s'intègre dans l'armée. Toutefois, des points de discorde ne tardent pas à apparaître et mettent fin à cette coalition.

Au Liban, c'est l'antagonisme entre les druzes et les maronites qui a longtemps structuré les relations entre confessions. Au moment de l'éclatement de la guerre civile en 1975, les druzes, menés par Walid Joumblatt, cherchent avant tout à mettre fin au Pacte national[1] qui avantage principalement les confessions majoritaires que sont les maronites et les sunnites. Leur but est de mettre en place un régime laïque leur garantissant une chance d'accéder à davantage de pouvoir politique.

Les chiites du Liban

Les chiites, présents au Liban dès l'origine de cette secte, sont localisés dans le sud du pays ainsi que dans le nord-est, à la frontière syrienne. Ils ont longtemps formé un prolétariat misérable sous tutelle sunnite, puis druze à partir du XIXe siècle. Il faut attendre le mandat français pour que la communauté chiite, bien qu'oppo-

---

1. Accord non écrit pris en 1943 par le futur président de la République Béchara el-Khoury (maronite) et son futur Premier ministre Riyad al-Solh (sunnite), en vertu duquel les chrétiens renoncent à la protection occidentale tandis que les musulmans renoncent à un rattachement à la Syrie. Les chiites et les druzes ne sont alors pas consultés.

sée à cette présence étrangère, sorte de l'exclusion. Au moment de l'indépendance, cette communauté est perçue comme une entité politique à part entière et se voit d'ailleurs attribuer, dans le cadre du Pacte national de 1943, la présidence de l'Assemblée nationale. La forte croissance démographique que connaît la population chiite oblige une partie de ses membres à émigrer vers Beyrouth, ou plutôt sa banlieue. Au fur et à mesure que son poids s'intensifie sur l'échiquier politique, la communauté chiite revendique son appartenance confessionnelle et en tire une identité propre. C'est à cette époque que le clergé chiite libanais resserre ses liens avec l'Iran, soutien précieux face aux autres confessions. En 1975, les chiites rejoignent les druzes et les Palestiniens dans un front anti-maronite. Toutefois, les alliances ne cessent d'évoluer et les chiites sont amenés, au cours des quinze années de guerre civile, à affronter chacune des confessions présentes au Liban. De même, il serait faux de considérer la communauté chiite comme une et solidaire : plusieurs courants se sont dissociés sur les relations à entretenir avec le régime syrien ou iranien. Alors que la Syrie soutenait le mouvement Amal dirigé par Nabih Berri (actuel président de l'Assemblée), l'Iran appuyait le Hezbollah (créé en 1982) dans sa politique de harcèlement des Israéliens et des maronites. En outre, la place réservée à la religion dans le fait politique constitue la deuxième ligne de fracture du chiisme libanais : les laïcs, souvent séduits par les thèses socialistes, revendiquaient le contrôle de la communauté contre le clergé, bien plus attaché aux dogmes fondamentaux de l'islam. Toutefois, tous partagent un désir d'existence politique au sein d'une nation libanaise.

III

GÉOPOLITIQUE DU CHIISME ACTUEL

10

La révolution islamique d'Iran

En mars 1977, le « printemps de Téhéran » est déclenché par la lettre ouverte d'Ali Asghar Haj Seyed Javadi au Chah : à la surprise générale, l'audacieux essayiste n'est en effet pas poursuivi ni emprisonné. Les intellectuels iraniens se sentent encouragés à prendre la parole, d'autant qu'aux Etats-Unis Jimmy Carter vient d'être élu sur un programme en faveur des droits de l'homme. Le régime confie alors la répression à sa police secrète et prétend que les agressions perpétrées à l'encontre des voix discordantes sont le fait d'acteurs « incontrôlés ». La dynamique du « printemps iranien » croît en réponse à ces exactions, entraînant une escalade de la violence de la part d'un régime aux abois : en février 1978, un deuil religieux soulève la population chiite à Tabriz. Des symboles du régime impérial sont incendiés, mais aussi des symboles de l'Occident « décadent » (boutiques de luxe, cinémas, magasins vendant de l'alcool). La police fait appel à l'armée, dont l'intervention se solde par la mort d'une centaine de rebelles.

C'est à ce moment que les bazaris, c'est-à-dire les commerçants et les corporations du Bazar, se rangent petit à petit dans le camp des religieux. Ils sont excédés par les campagnes de lutte anti-corruption du régime impérial, et apportent explicitement leur soutien à l'ayatollah Khomeyni, qui parvient également à se rallier une partie croissante du clergé. Il dispose en outre d'un solide réseau de militants à l'étranger, qui diffusent ses discours enregistrés. L'absence de solution politique à la crise du régime facilite le ralliement des libéraux, des marxistes et des islamistes opposés au Chah. Des manifestations réclament le départ de ce dernier, et le retour de Khomeyni, en exil à Neauphle-le-Château. La loi martiale est alors décrétée, et l'armée ouvre le feu sur les manifestants, perpétrant le massacre du « vendredi noir » (8 septembre 1978).

Le durcissement face au « printemps de Téhéran » s'explique par un revirement du côté américain : de crainte qu'une révolution soupçonnée d'être alimentée par l'Union soviétique ou récupérée par elle ne fasse perdre aux Etats-Unis leur « gendarme du Golfe » et principal relais dans la région, Jimmy Carter soutient la répression menée par le Chah. Les massacres du « vendredi noir » rendent impossible tout retour en arrière. Le mouvement de contestation s'étend aux classes moyennes, et le pays est paralysé par des grèves qui interrompent même les exportations de pétrole. Certains soirs, à la demande de Khomeyni, les habitants montent à 20 heures sur les terrasses des immeubles pour crier « Dieu est grand, à bas le Chah ».

Le régime est vaincu politiquement en décembre, au moment de la commémoration du martyre de Hussein.

Plus d'un million de personnes manifestent à Téhéran les 10 et 11 décembre, sans que le pouvoir puisse faire quoi que ce soit. Un mois plus tard, Reza Chah Pahlavi quitte l'Iran, tandis que l'ayatollah Khomeyni y reçoit un accueil triomphal. Quelques jours après le départ du Chah, le slogan « Indépendance, liberté, République islamique » scandé lors d'une manifestation en l'honneur de Khomeyni fait comprendre aux laïcs qu'il leur sera difficile de peser sur le nouveau gouvernement. Celui-ci est pourtant reconnu immédiatement par les Etats-Unis, tandis que le monde entier suivait cette révolution accomplie par une population jeune sous les ordres d'un religieux qui affirmait que l'islam apporterait la réponse à tous les problèmes du pays[1].

Mehdi Bazargan succède à Chapour Bakhtiar au poste de Premier ministre dans un contexte difficile : l'économie est paralysée, l'armée désorganisée par le départ du Chah. Ce nouveau gouvernement s'attaque conjointement à la nationalisation des richesses, tentée au début des années 1950 par Mossadegh, et à la mise au pas de la population sur un plan politique : il s'agit en effet de consolider son emprise sur le pouvoir. Pour ce faire, le gouvernement s'appuie sur le discours tiers-mondiste dénonçant la bourgeoisie corrompue.

Mais, sur le terrain, la réalité du pouvoir est détenue par le Comité de la révolution islamique, où les militants islamistes exercent leur loi ; et sur le plan politique le Conseil de la révolution l'emporte en influence

---

1. Voir Jean-Pierre Digard, Bernard Hourcade et Yann Richard, *L'Iran au XXe siècle*, Fayard, 2007, pp. 155-189.

sur les membres du gouvernement, ensemble hétéro-
clite composé d'opposants historiques revenus d'exil,
de religieux ou de personnalités issues du Front national. Ces deux instances dépendent par ailleurs du seul
Khomeyni, qui distille ses instructions à partir de Qom.

Le Parti de la République islamiste créé au lendemain de la révolution est en opposition croissante avec
les autres formations. Après les anciens partisans du
Chah, la répression vise à partir de 1980 les libéraux
et les communistes, dans les rangs desquels elle fait
près de 10 000 victimes. Si les minorités religieuses
sont officiellement protégées, les commerçants juifs
sont harcelés ainsi que les bahaïs, et les assassinats
de chrétiens démentent les déclarations du gouvernement. Une partie importante de ces communautés est
ainsi poussée à l'exil.

L'Iran prend officiellement le nom de « République
islamique » le 1er avril 1979 au terme d'un référendum
favorable à 98 % à l'abolition du régime impérial, et
devient le seul Etat officiellement chiite depuis 1501.
Le 12 décembre, une nouvelle Constitution est massivement approuvée, toujours par la voie du référendum.
Le nouveau système politique repose sur l'islam chiite
et un gouvernement exercé par le « Guide suprême »
de la révolution islamique, autrement dit Ruhollah
Khomeyni. La forme républicaine du régime réside dans
l'instauration d'un suffrage populaire pour l'élection du
président de la République, élu pour un mandat de quatre
ans renouvelable une seule fois, et pour celle du Parlement. Mais le président n'est pas le chef de l'Etat ;
il est seulement celui d'une partie de l'exécutif, ce qui

implique qu'il préside le Conseil des ministres mais que ces derniers sont soumis à l'approbation du Parlement, qui peut les révoquer. Le véritable chef de l'Etat est le Guide. Nommé à vie, celui-ci ne peut être démis de ses fonctions qu'exceptionnellement. Il domine l'ensemble de l'appareil politique, pouvoirs législatif, exécutif et judiciaire inclus. Mais, bien que religieux, il n'est pas l'autorité suprême du chiisme, réserve introduite par Khomeyni pour ne pas heurter une partie importante des grands ayatollahs, opposés au concept de *velayat-e faqih*.

De nombreuses mesures sont prises afin de mettre la société en conformité avec les vues du Guide. Khomeyni fait en sorte que le clergé se fonctionna-rise : les « représentants de l'imam » auprès des universités et des grands services publics deviennent des rouages importants du régime ; la prière du vendredi se transforme en un gigantesque rituel de mobilisation des foules. Le régime supprime la mixité dans les lieux publics, et contraint toutes les femmes à porter en public des vêtements conformes au nouvel ordre moral. Les « Gardiens de la révolution » et les Bassidji (littéralement, les « mobilisés »), force paramilitaire d'appoint, sont chargés de veiller au respect des nouvelles règles.

Sur le plan international, l'Iran tente d'afficher une politique « Ni Est, ni Ouest » qui serait « islamique ». En réalité les relations avec l'URSS sont normales, voire amicales : l'Union soviétique est le premier fournisseur d'armes et de matériel militaire de l'Iran. En revanche, les relations irano-américaines se dégradent très vite. Le 1er novembre 1979, Khomeyni appelle la population à manifester contre les Etats-Unis et Israël, et met en place la rhétorique du « Grand Satan » et des « ennemis de la révolution ». Le 4 novembre, des étudiants de la « Ligne de l'Imam » pénètrent dans l'ambassade américaine, l'occupent et prennent en otage 52 diplomates. Ce coup de force absolument inédit dans les relations internationales contemporaines frappe les esprits. La prise d'otages dure plus d'un an, et constitue pour l'administration de Jimmy Carter un camouflet d'autant plus cuisant que le régime choisit de libérer les diplomates américains le jour de l'élection de Ronald Reagan. Les relations avec Israël se détériorent aussi : Khomeyni fait en sorte que Yasser Arafat soit le premier représentant politique reçu officiellement par la République islamique.

Khomeyni, qui a l'ambition de faire de son pays le « centre révolutionnaire du monde islamique », cherche à en exporter le modèle. Les gouvernements du golfe Persique, dont certains ont de fortes minorités chiites, se sentent menacés par la révolution iranienne. En 1980, l'Irak, soutenu financièrement et militairement par les autres pays arabes, les Etats-Unis et la majorité des Etats occidentaux, envahit l'Iran avec l'espoir d'étouffer dans l'œuf cette menace. Si l'Irak ne réussit pas, au terme d'une guerre de huit ans qui laisse les deux pays exsangues, à défaire la révolution islamique, celle-ci ne parvient pas non plus à s'exporter. Les populations chiites d'Irak et des pays du golfe Persique n'adhèrent pas à l'appel iranien, et les chiites irakiens en particulier ne se solidarisent pas avec leurs coreligionnaires iraniens. La seule réussite étrangère est la création du Hezbollah libanais. L'Iran se retire du pacte de Bagdad (1955) et se déclare pays non aligné.

11

Etat des lieux

Au XXe siècle, l'apparition de mouvements fonda-
mentalistes radicaux dans les pays sunnites, comme
les Frères musulmans en Egypte et en Syrie et le
mouvement wahhabite en Arabie Séoudite, contribue
à exacerber, à nouveau, l'hostilité de la majorité des
musulmans contre les chiites. Sunnites et chiites sont
divisés malgré des causes communes normalement
fédératrices, par exemple la défense des Palestiniens et
la lutte contre l'influence américaine au Moyen-Orient.

Les chiites, toutes sectes confondues, sont une minorité à l'échelle du monde musulman, mais ils sont
majoritaires dans quelques pays comme l'Iran, l'Azerbaïdjan ou Bahreïn. Ils représentent environ 140 millions de personnes sur un total de 1,5 milliard d'âmes
dans le monde, soit à peu près 9 % des musulmans.
Ils constituent 98 % de la population en Iran, 80 % en
Azerbaïdjan, 75 % au Bahreïn, 54 % en Irak, 30 % au
Liban, 25 % au Koweït, 20 % en Turquie, en Afghanistan et au Pakistan et 10 % en Arabie Séoudite. Certaines populations chiites dans ces pays se sont déjà

révoltées, les autres attendent sans doute une opportunité pour le faire. Au Liban et en Irak, les chiites ont été méprisés et opprimés socialement et politiquement.

Au Koweït et en Arabie Séoudite comme en Irak, les chiites sont installés près des zones pétrolifères, ces minorités opprimées se sont réfugiées dans des endroits à l'écart des populations à majorité sunnite. En Syrie, au Liban, en Turquie et au Yémen, elles se sont retirées dans les montagnes. En Irak, elles se sont abritées dans les marécages du Sud qui jouxtent la Perse protectrice. Jusqu'au tout début des années 1960, le Yémen a été gouverné par le régime politique de l'imamat, un régime chiite. Nasser, qui veut s'emparer du contrôle de la mer Rouge, suscite une révolution républicaine sunnite. L'Arabie Séoudite, consciente du danger qu'elle court en cas de victoire de Nasser, intervient en soutenant les chiites pour contrer le nationalisme nassérien, son ennemi absolu. La guerre du Yémen se termine en 1967 par le partage du pays, réunifié en 1990. Actuellement, le contrôle de la mer Rouge, que privilégient l'Arabie Séoudite et les Emirats arabes pour évacuer leur pétrole au détriment de la voie qui traverse le golfe Persique, est en jeu. Il y a là l'instrumentalisation d'un conflit entre sunnites et chiites par des superpuissances régionales (l'Arabie Séoudite et l'Iran), ce n'est donc pas à proprement parler un conflit d'ordre confessionnel, mais plutôt d'ordre économique. On voit ainsi des hommes de foi (les Yéménites) motivés par le sunnisme ou le chiisme se battre pour l'appropriation d'une richesse économique dont, malheureusement, ils ne pourront peut-être pas profiter vu leur état d'extrême pauvreté et leur dépendance vis-à-vis de leurs parrains étrangers.

Le contexte politique et social est différent en Irak et au Liban où le combat entre sunnites et chiites relève d'une « guerre de libération » pour la conquête, certes de la liberté religieuse, mais surtout pour une plus équitable distribution des richesses économiques dans ces pays. En Irak, une partition menace la nation ; au Liban, c'est le fragile équilibre confessionnel et économique qui est en danger.

En mai 2008, le Hezbollah, mécontent de la répartition des pouvoirs au Liban, déclare une guerre ouverte aux sunnites et occupe Beyrouth en quelques heures. Ce n'est pas seulement le gouvernement sunnite du pays qui est en danger, mais également les intérêts du royaume d'Arabie Séoudite qui voit ainsi l'un de ses alliés perdre la face. En conséquence de quoi, et à moins de répondre au parti de Dieu sur le terrain militaire, les sunnites, et bien sûr les autres communautés libanaises, seront supplantés par les chiites du Hezbollah qui constituent déjà un Etat dans l'Etat et qui souhaitent étendre leur influence à tout le pays.

En Irak, et quelle que soit la solution de paix qui sera appliquée (peut-être) après le départ annoncé des Américains, le fait chiite demeurera un élément structurant de la politique intérieure et extérieure du pays. Si l'Etat et la société irakienne doivent continuer à se décomposer, on peut penser que les puissances occidentales cesseront de rechercher un nouvel équilibre des forces. Elles privilégieront la solution qui consiste à sécuriser les zones de production et d'évacuation des

hydrocarbures et laisseront le chaos régner en Mésopotamie, lieu, depuis la nuit des temps, de toutes les
perturbations géopolitiques.

Quant aux événements de Syrie, ils sont essentiellement liés au conflit entre chiites et sunnites. Comme en
Egypte et en Tunisie, le « printemps syrien » est parti
de jeunes laïcs et d'opposants historiques, dont certains
sont chrétiens. Peu à peu, les Frères musulmans ont
rattrapé le train en marche – comme en Egypte et en
Tunisie. Ils sont progressivement devenus les destina-
taires d'armes envoyées par le Qatar à travers la Turquie et sont entrés dans le jeu guerrier, occasionnant
la guerre civile. A la base, l'opposition laïque ne visait
pas une communauté : elle visait un régime. Progressivement, c'est une communauté qui est visée par une
contestation armée sunnite. D'autant que l'opposition
laïque est éclatée. Ceux qui étaient à l'étranger ont plus
ou moins jeté l'éponge. En tout cas, Burhan Ghalioun
a démissionné de la présidence du Conseil national
syrien. Dans le même temps, Ankara ou Istanbul restent des sortes de lieux de passage obligés de cette
opposition, y compris de l'opposition islamiste.
Il est vrai qu'aujourd'hui, l'opposition laïque a du
mal à se réunifier. Et c'est pour cela que le terrain est
de plus en plus occupé par les islamistes. Les alaouites,
dissidence du chiisme, sont un obstacle à la volonté des
sunnites – qui représentent tout de même 70 % de la
population – de se réapproprier le pouvoir central. Ce
qui aurait pour conséquence l'éclatement de la Syrie.
Les sunnites pourraient prendre le pouvoir à Damas et
constituer une sorte de république tronquée. Mais la

façade maritime de la Syrie est presque exclusivement alaouite. Désormais, l'enjeu est la route qui mène de Damas à Alep. Est-ce qu'Alep sera rattachée à un Etat alaouite, ou tombera-t-elle dans l'escarcelle d'un Etat sunnite ? Voilà une carte démographique particulière : le pays sunnite enclavé malgré sa puissance, le pays alaouite sur la façade maritime... et toutes les autres communautés, minoritaires. Le Proche-Orient reviendrait à ce qu'il était du temps de l'Empire ottoman : une série d'entités communautaires.

L'Occident n'a pas vocation à intervenir, mais peut arrêter Assad sur le plan diplomatique, en agissant sur son protecteur : la Russie. Peut-être aussi en augmentant les sanctions économiques, ou en envoyant de plus en plus de missions de l'ONU. Tout cela sous la houlette de la communauté internationale. Si Assad faisait la paix avec Israël... serait-il toujours considéré comme un dictateur sanguinaire ? D'autant qu'Israël est inquiet de voir s'installer des régimes islamistes un peu partout autour de lui.

Parallèlement, les Américains, dont l'islam a toujours été l'allié, ont intérêt à ce que les sunnites prennent le pouvoir. L'islam reste le meilleur rempart contre les idées de gauche. A dix mille kilomètres de distance, les Américains veulent pouvoir gérer cette manne pétrolière du Moyen-Orient et sa voie d'acheminement. En revanche, l'Europe, qui est le plus proche voisin de cette partie du monde, aura du mal à gérer l'islamisme en Egypte et en Tunisie.

La rivalité opposant sunnites et chiites peut surgir en Afghanistan, au Pakistan, en Azerbaïdjan, au Koweït, en Arabie Séoudite dans les provinces pétrolifères, à Bahreïn et en Turquie. Dans tous ces pays existe une communauté chiite qui peut réclamer sa part du pouvoir, notamment grâce à l'appui iranien. Cette population a une identité « clandestine », car elle ne peut exercer sa foi librement et n'est pas prise en compte par les Etats concernés dans la distribution des richesses.

12

La montée du chiisme

Cette guerre entre chiites et sunnites n'a jamais connu d'interruption. Mais elle a toujours été latente. Pendant des siècles, les chiites se sont sentis opprimés, jusqu'au moment où les Séfévides en Iran choisissent d'en faire la religion d'Etat pour se démarquer du reste du monde musulman. Depuis le XVIe siècle, l'Iran est en quelque sorte le « Vatican » du chiisme.

En 1979, alors que s'installe la République isla-mique iranienne, l'invasion de l'Afghanistan par l'Armée rouge donne une impulsion extraordinaire à l'islam radical. Un homme se distingue : le prince Turki al-Faysal ben Abdulaziz, qui dirige les services de renseignements extérieurs du royaume d'Arabie Séoudite. Ce prince est l'artisan, en 1977, du bascul-lement du Pakistan, de l'école théologique sunnite hanafite, la plus libérale, celle qui admet l'opinion personnelle comme critère d'interprétation, à l'école hanbalite, la plus rétrograde, la plus littéraliste, la plus archaïque, celle qui dit qu'après le Prophète, il n'y a plus rien de nouveau. Cette invasion de l'Afghanistan va précisément permettre à Turki al-Faysal de mettre sur pied une légion islamique mondiale, recrutant dans tous les pays arabes et dans tous les pays musulmans – grâce au financement exclusif de l'Arabie Séoudite, bien entendu – des combattants pour les envoyer en Afghanistan. Ce qui lui permet également, à travers Oussama Ben Laden recruté en 1982, d'aider les Américains dans leur entreprise de lutte contre cette invasion soviétique.

Dès 1980, Saddam Hussein lance la guerre contre l'Iran, s'autoproclamant le rempart du monde occidental. Il pense que les Arabes sunnites, mais surtout l'Occident, vont l'appuyer. Il entend déstabiliser la République islamique naissante avant qu'elle consolide son pouvoir. Cette guerre est déjà à trois niveaux. C'est d'abord une guerre ethnique entre Perses et Arabes, c'est ensuite une guerre religieuse entre sunnites et chiites – même si les chiites irakiens se battent alors pour l'Irak contre les chiites iraniens… ce qui n'est plus le cas aujourd'hui –, et c'est enfin une guerre pour le contrôle du golfe Persique par lequel passent près de 17 % du pétrole mondial et 65 % de l'approvisionnement énergétique des Occidentaux et du Japon. Cette guerre fera un million de morts et s'arrêtera en 1988 par épuisement mutuel des combattants alors qu'aucune partie n'est déclarée vainqueur. Le cessez-le-feu a lieu au centimètre carré près dans les frontières d'avant la guerre. Les Iraniens ont récupéré tout le terrain perdu. C'est quasiment la première fois que les Perses se battent à leur frontière. Ils s'étaient toujours jusque-là battus loin de chez eux, sans jamais, d'ailleurs, attaquer eux-mêmes. Il est vrai que Saddam Hussein est appuyé par les pays arabes sunnites, mais il attend son dû, financièrement parlant, de la part des frères arabes. Celui-ci n'arrive pas. Il se lance alors en 1990 dans la folle aventure du Koweït, qui déclenche la guerre du Golfe. C'est d'ailleurs à cette occasion que Ben Laden offrira ses services au Koweït dans sa lutte contre l'envahisseur. Celui-ci préfère se tourner vers les Etats-Unis.

Néanmoins, si les chiites irakiens se sont battus pour l'Irak contre les chiites iraniens, ils veulent profiter à la fois de cette guerre et de l'invasion du Koweït pour s'émanciper du pouvoir baassiste, et surtout sunnite, de Saddam Hussein au sein de l'Irak. Mais le dictateur, maintenu au pouvoir par la coalition, exerce sur eux (et sur les Kurdes) une répression sanglante, et creuse encore plus le clivage entre le pouvoir baassiste sunnite et les Irakiens chiites.

Ce n'est qu'en 1992, lorsque, en Afghanistan, les Américains quittent le pays et que l'armée du Nord commandée par le commandant Massoud massacre les Hazaras, que l'on assiste à une montée en puissance du ressentiment chiite. Cette guerre va se transposer au Pakistan, en Inde, en Irak, bien entendu, où les chiites, représentant 54 % de la population, obtiennent, à l'issue des élections de 2005 organisées par les Américains, tous les pouvoirs du gouvernement central...

C'est un fait que, depuis les années 1990, l'Iran a organisé, mis sur pied, une sorte de diplomatie contestataire vis-à-vis du pouvoir unipolaire qui est celui des Etats-Unis, et notamment de la présence

américaine dans la région. Cette diplomatie contestataire a essentiellement pu se développer grâce à
l'alliance avec la Syrie au Proche-Orient, mais également à travers des organisations comme le Hezbollah, lui-même chiite, et le Hamas, bien que sunnite[1].
Malgré la séparation entre les deux, le Hamas est,
jusqu'à aujourd'hui, instrumentalisé par le pouvoir
chiite.

L'Iran est à 98 % chiite. Néanmoins, les Iraniens
sont des Perses, entourés d'un côté par des Arabes et
de l'autre par des Pachtounes, des Tadjiks et des Ouzbeks. Les Iraniens chiites se trouvent dans un océan
de sunnites. Et ils ont peur. Une peur qui précisément
vient du fait qu'ils se savent minoritaires, en tant que
chiites, dans le monde musulman.

Depuis 1979, et pour la première fois depuis le califat fatimide du Caire au Xe siècle, l'Empire perse est
parvenu à repousser les frontières dans l'espace arabe,
à travers l'Irak à majorité chiite après l'invasion américaine et l'éclatement du pays, en Syrie avec le régime
alaouite et au Sud-Liban. Cet arc, présenté comme étant
chiite, est avant tout un arc perse qui a instrumentalisé le
chiisme pour ses besoins et ses objectifs. Aujourd'hui,
l'Iran est un pays éclaté, mais où est inscrit dans la
Constitution le fameux dogme du *velayat-e faqih*, qui
confère aux religieux la primauté sur le pouvoir politique.

---

1. Voir « Les diplomaties contestataires au Moyen-Orient »,
Les Cahiers de l'Orient, n° 87, 2007.

C'est en Irak que la situation reste très précaire. Certes, les chiites irakiens représentent 54 % de la population, mais l'éclatement de la communauté est une réalité. Il y a ceux qui restent attachés à leur citoyenneté irakienne, ceux qui ont pris des distances vis-à-vis de l'Iran et ceux qui, au contraire, se sont alignés sur la politique iranienne et surtout sur ce fameux dogme du *velayat-e faqih*. D'origine irakienne, ce dogme a été créé dans les années 1960 par le grand-oncle de Moqtada al-Sadr, ce mollah qui, en 2004, se plaignant de l'hégémonie iranienne sur le chiisme irakien, s'est élevé contre les prétentions du Guide iranien – qui se revendique comme l'autorité suprême juridique et spirituelle des chiites du monde entier – dont l'ambition était de créer en Irak une république islamique de type khomeyniste. Mais il commet une erreur stratégique : il va pendant un moment s'opposer au grand ayatollah irakien, Ali al-Sistani. L'organisation religieuse du chiisme est bâtie autour d'un véritable clergé, au contraire du sunnisme, extrêmement hiérarchisé. Dans le monde persan, lorsque à la fin des études religieuses on pratique l'*ijtihad*, on devient mollah. Dans les autres pays, on est cheikh et on garde ce titre jusqu'à la fin de sa vie. Dans le monde persan, on devient également hodjatoleslam, c'est-à-dire « preuve apportée par l'islam », puis ayatollah, « signe de Dieu », et grand ayatollah. Lorsque, précisément, devenu grand ayatollah, on prêche dans les mosquées, que le peuple choisit cette interprétation globale de l'homme, de la vie, de la société, et qu'on attire les foules, celles-ci vont payer de quoi bâtir des écoles, des dispensaires… Ce grand ayatollah devient alors une référence, *marja'iyya*.

Il y avait jusqu'en 2010 deux références dans le monde chiite : Ali al-Sistani et le cheikh Mohammad Hussein Fadlallah au Liban, l'ancien guide du Hezbollah. En 1992, quand l'actuel secrétaire général du Hezbollah, Nasrallah, est arrivé au pouvoir, Fadlallah s'est retiré, parce que Nasrallah était pour ce dogme pro-iranien alors que Mohammad Hussein Fadlallah était contre. Aujourd'hui, la communauté chiite est elle-même divisée par ce dogme, qui est désormais mis à mal en Iran – où certains religieux importants pratiquent toujours l'*ijtihad*.

Face aux velléités de l'Iran de s'ériger en force régionale, le sunnisme tente de s'organiser. Jusque-là, l'Arabie Séoudite était considérée comme le « Vatican » du sunnisme. Désormais, les prétendants à ce rayonnement sont nombreux.

L'Egypte, d'abord, qui après la révolution du printemps arabe de février 2011, a des velléités de revenir sur la scène arabe. La montée en puissance des Frères musulmans et des salafistes en Egypte, leur victoire écrasante aux législatives pour la Constituante, et enfin l'élection de M. Morsi à la présidence de la République laissaient penser que l'Egypte serait très vite de nouveau le centre du monde arabo-sunnite comme elle l'avait été auparavant au temps du panarabisme nassérien, mais aussi de l'islamisme. Le score des islamistes à la présidentielle de mai 2012, alors qu'ils ont perdu la moitié de leurs suffrages, montre à quel point l'usure du pouvoir fait son effet.

La Turquie, ensuite, qui entend jouer elle aussi ce rôle central dans le sunnisme. C'est ce que l'on a appelé, un peu vite, le retour de l'Empire ottoman. Néanmoins, 17 % de la population turque appartient à la communauté des Alévis, cousins germains des alaouites de Syrie. Mais, dans le même temps, la Turquie a un vrai problème pour se poser comme modèle. En effet, malgré la présence au pouvoir de l'Akapé, qui se déclare « islamiste modéré » – alors que cela n'existe pas –, la laïcité est inscrite dans la Constitution turque, très inspirée des codes civils suisse et français. Lorsqu'en juin 2011 se tiennent les élections législatives, l'Akapé emporte la majorité absolue, mais a perdu les élections. Parce que son objectif – c'est la dernière fois qu'il pouvait y prétendre – était de remporter les deux tiers des sièges de l'Assemblée pour pouvoir changer la Constitution. Cela n'a pas été le cas, tandis que le parti laïque de gauche a connu une nette remontée. Au début, la Turquie a été le point de passage des armes légères délivrées par l'Arabie et le Qatar aux insurgés syriens, mais le pays n'a pas pu jouer le rôle politique auquel aspirait l'Akapé.

De plus, les pétromonarchies du Golfe tentent de s'organiser. Ces pays, y compris l'Arabie Séoudite, le Koweït et Oman, ont tenté à la fin du printemps 2012 de constituer un front uni contre l'Iran.

Car se pose une réelle question : faut-il avoir peur de l'Iran ?

13

Les quatre pôles
du pouvoir iranien

Dans les rues de Téhéran, les Iraniens n'hésitent plus à manifester leur mécontentement. D'autant que l'élection forcée de Mahmoud Ahmadinejad en juin 2009 et les manifestations qui ont suivi ont libéré la parole, en dépit de la violente répression exercée sur des centaines de jeunes. L'énergie déployée par Ahmadinejad envers les chiites du Liban ou le Venezuela de Chavez irritait, alors que la situation économique ne cessait de se dégrader. Le pouvoir apparaît plus que jamais éclaté, plusieurs parlementaires s'élevant ouvertement contre la politique économique du gouvernement. Les quatre pôles du pouvoir, le Guide, le président, le clergé et les Gardiens de la révolution (Pasdaran), semblent s'être radicalisés.

Le président Ahmadinejad, lui-même contesté, soutenu du bout des lèvres par le Guide suprême Ali Khamenei, se fait moins provocateur. S'il poursuit ses rodomontades, notamment à l'égard des Etats-Unis d'Amérique et d'Israël, il réserve ses critiques les plus acerbes au président du *Majlis* (Parlement), l'« aristocrate » Ali Larijani. Ces deux personnages représentent deux visions opposées de l'Iran et de sa place dans le monde. Ali Larijani, conseiller du Guide Ali Khamenei, fait partie des intouchables, comme son compagnon Ali Akbar Velayati, ancien ministre des Affaires étrangères. Son frère, Sadegh Larijani, est à la tête du système judiciaire iranien. Entrés en politique il y a trente ans, les cinq frères Larijani forment un contrepoids puissant à la politique du président Ahmadinejad. Lors de la présidence de Mohammad Khatami de 1997 à 2005, ils étaient incontestablement les représentants de l'aile dure du régime[1].

La gestion déplorable de l'économie iranienne par le gouvernement ces dernières années, les scandales de corruption à répétition, et l'intensification des difficultés économiques consécutives aux sanctions européennes ont alimenté au sein de la population une véritable défiance vis-à-vis d'Ahmadinejad et de son gouvernement, mais aussi parmi les membres de l'élite politique. Le président et le Parlement s'opposent presque systématiquement : sur les statuts des universités, sur les nominations des ministres, sur la politique économique… Le Parlement a ainsi évincé le président du conseil d'administration de la banque centrale iranienne et assujetti la nomination des membres du conseil à l'approbation des députés.

---

1. Depuis juin 2013, le nouveau président, Hassan Rohani, représente le courant de synthèse entre ces deux versions extrêmes de l'Iran.

Contesté, Ahmadinejad use de ses prérogatives de chef de l'Etat pour procéder à des nominations arbitraires. Depuis sa « réélection-nomination », il se sentait redevable envers les Bassidji, cette milice toujours prête à porter secours à un régime de plus en plus contesté, et surtout envers le Corps spécial, mis en place par les services de la présidence afin de pourchasser les manifestants lors des troubles de 2009. Plusieurs de leurs membres se sont retrouvés à la tête d'administrations, à la place d'hommes, certes acquis au régime, mais qui se contentaient d'être des technocrates. Dans la capitale, la rumeur a circulé que, fort de ses séides, le président serait prêt à bousculer la Constitution et à briguer un troisième mandat. A force de nominations imposées qui soulèvent l'ire de la plupart des membres du Parlement, Ahmadinejad a tenté de transformer l'appareil d'Etat. La grogne a gagné les universités d'Etat, qui sont devenues un terrain de lutte d'influence pour les membres de l'élite politique. Les professeurs se plaignent de la dégradation de leurs conditions de travail, d'une surveillance tatillonne, et du remplacement des recteurs par des proches d'Ahmadinejad et des Gardiens de la révolution. Le scandale a éclaté lorsque le président a tenté de remplacer les membres du conseil d'administration de l'Université libre de Téhéran (université Azad), un des pôles de soutien à l'opposition en juin 2009. Le Parlement a immédiatement opposé son veto. Dotée d'un énorme capital et de branches dans l'ensemble du pays, l'université Azad est clairement un pôle d'influence décisif dans la politique iranienne, et ses dirigeants sont engagés contre la politique gouvernementale, du côté des conservateurs pragmatiques rangés derrière Rafsand-jani et Larijani. Devenue une affaire d'Etat, la lutte est remontée jusqu'au Conseil des Gardiens, qui a tranché en faveur du Parlement.

Le Guide suprême lui-même est agacé par son pré-sident. Entre Khamenei et Ahmadinejad, la tension n'a cessé d'augmenter depuis le début du second mandat de ce dernier. Le limogeage du ministre des Affaires étrangères Manouchehr Mottaki le 13 décembre 2009 est le dernier signe du clivage grandissant entre les deux hommes et d'une lutte de pouvoir engagée au plus haut niveau, entre le président, le Guide et le président du Parlement, chacun essayant de placer ou conserver ses partisans dans les hautes sphères de la politique iranienne.
Ministre des Affaires étrangères depuis 2005, Manouchehr Mottaki est un proche d'Ali Larijani, pré-sident du Parlement, qu'il a soutenu comme candidat à l'élection présidentielle de 2005, et dont l'aversion pour Ahmadinejad est de notoriété publique. Son ren-voi brutal alors qu'il effectuait une visite au Sénégal est un nouveau signe d'un bras de fer entre le président et le Guide suprême, dont les relations se sont dégra-dées depuis les élections de 2009, malgré le soutien décisif apporté par Khamenei à Ahmadinejad lors du scrutin contesté. Le limogeage de Mottaki s'est ins-crit dans un contexte de tentatives répétées de la part du président de prendre en main la politique étrangère du pays, au risque de court-circuiter la politique du ministère des Affaires étrangères, du Parlement, et du Bureau du Guide.

L'événement est d'autant plus significatif que, depuis 1989 et l'accession de Khamenei au poste de Guide suprême, les ministres des Affaires étrangères, de l'Intérieur et des Renseignements sont presque systématiquement choisis par le Guide, et non par le président. Il est d'ailleurs révélateur que le quotidien *Kayhan,* organe du Bureau du Guide suprême, ait vivement critiqué le renvoi de Mottaki. Auparavant, le même journal avait critiqué la possibilité d'un rapprochement du président avec les Etats-Unis, en réponse à la main tendue d'Obama, malgré l'opposition de Larijani et de Khamenei. C'est là une des pommes de discorde entre les deux camps : fin 2009, Ahmadinejad semblait prêt à négocier avec les Américains sur la question de l'enrichissement de l'uranium, alors que Larijani dénonçait la main tendue d'Obama[1] comme un piège des Américains.

De son côté le Guide Ali Khamenei essaie tant bien que mal de rallier et de calmer les religieux qui se sont dressés contre lui, et d'amadouer les grands ayatollahs. Fin octobre 2010, il s'est rendu à Qom pour réaffirmer son autorité et tenter de reprendre en main la *hawza* de

---

1. En mars 2009, le président américain prend l'initiative de s'adresser directement aux dirigeants iraniens à l'occasion de la fête de Nowrouz (nouvel an iranien) ; il leur propose un « avenir où les anciennes dissensions ont été surmontées, où vous et tous vos voisins et le monde en général vivent dans une sécurité et une paix plus grandes ». M. Obama réaffirme cependant aux dirigeants iraniens qu'ils ont un « choix » à faire : « Les Etats-Unis veulent que la République islamique d'Iran prenne la place qui lui revient dans la communauté des nations », mais « on ne peut obtenir cette place ni par le terrorisme ni par les armes ».

la ville, qui regroupe l'ensemble des séminaires religieux sous l'autorité des ayatollahs les plus influents.
Face à la réticence des hauts dignitaires religieux, il
a dû s'y rendre une seconde fois, à la mi-novembre.
L'accueil y fut encore moins chaleureux qu'à la pré-
cédente visite. En vingt et un ans à la tête du pouvoir,
Khamenei ne s'était rendu que trois fois dans le cœur
religieux du pays. Considérée comme cruciale pour la
légitimation de son autorité religieuse, sa quatrième
visite avait été pourtant soigneusement préparée plusieurs mois à l'avance. Les ayatollahs réfractaires les
plus loquaces, Yusuf Sanei, Ali Mohammad Dastgheib
et Asadollah Bayat Zanjani, avaient vu leurs sites Inter-
net fermés. Les hommes du Guide s'étaient rendus
auprès des ayatollahs les plus influents pour les persuader d'accueillir Ali Khamenei à l'entrée de la ville.
Face au refus catégorique de ce qu'ils considéraient
comme une marque de soumission trop ostentatoire,
le Bureau du Guide avait finalement réussi à organiser
des rencontres publiques avec quelques membres éminents de la hiérarchie chiite.

Depuis le passage en force d'Ahmadinejad, les grands
ayatollahs de la ville sainte de Qom, ayatollahs les plus
respectés et sources d'émulation pour les fidèles chiites,
n'hésitent plus à exprimer ouvertement leur désaccord,
voire leur mépris vis-à-vis de la tournure prise par
le régime, certains allant jusqu'à critiquer le Guide
suprême lui-même. La hiérarchie cléricale y a rarement
été aussi divisée depuis la révolution de 1978-1979. Peu
avant sa mort en décembre 2009, l'ayatollah Montazeri,
dauphin pressenti de Khomeyni, tombé en disgrâce et

un des *marja'* les plus respectés de Qom, a déclaré que la République islamique n'était plus en rien une république, qu'elle n'était plus même islamique et virait à la dictature militaire. Dans une *fatwa* (un édit religeux) publiée après les manifestations de 2009, il avait violemment mis en cause la légitimité de Khamenei comme Guide. Décédé depuis, ses obsèques ont rassemblé des centaines de milliers de personnes, virant à la manifestation contre le pouvoir de Khamenei.

Parmi les clercs opposés au pouvoir de Khamenei, le plus virulent et sans doute l'un des plus écoutés est l'ayatollah Yusuf Sanei. Avec sa barbe blanchie par les ans, il s'adresse d'une voix posée et calme à certains de ses étudiants dans l'enceinte du mausolée de Fatima, sœur du huitième imam. Pour lui, « la posture de Khamenei après les élections de juin 2009 a remis en question [notre] position en tant que guides de la communauté ». Le vénérable dignitaire ajoute que « c'est normal puisqu'il n'est même pas ayatollah ».

Or, il était particulièrement important pour Khamenei, après les salves de critiques qui ont suivi les élections de 2009, et ont déstabilisé jusqu'à sa légitimité religieuse à la tête de la République, de faire reconnaître son autorité dans le bastion de la hiérocratie chiite. A la différence de Khomeyni, fondateur de la République islamique, Khamenei n'a jamais réussi à obtenir le soutien populaire. Nommé ayatollah dans l'urgence, la veille de son accession au pouvoir comme Guide suprême, Ali Khamenei ne dispose pas du grade de *marja'* (référent) qui lui permettrait d'interpréter les textes de loi religieuse à la lumière de la situation contemporaine du pays, et lui apporterait un surcroît de légitimité religieuse. Depuis ses débuts, il souffre d'un déficit de légitimité aux yeux de la hiérarchie cléricale de Qom. Jusqu'à présent, toutes ses tentatives pour être reconnu comme *marja'* ont échoué. Lors de sa dernière visite dans la ville sainte, dont un des objectifs était de faire reconnaître sa *marja'iyya* (référence), la plupart des grands ayatollahs ont évité d'avoir à le rencontrer publiquement. C'est le cas du grand ayatollah Hossein Vahid-Khorasani, clerc éminent de Qom, et beau-père du chef du pouvoir judiciaire Sadegh Larijani, qui, empêché de quitter la ville, a finalement refusé de voir Ali Khamenei.

C'est surtout sur l'appareil militaire et paramilitaire qu'Ali Khamenei a dû s'appuyer pour consolider son pouvoir, consacrant la montée en force des Gardiens de la révolution dans le système politique et économique du pays. En s'attaquant au secteur bancaire, ce sont eux que les Européens espèrent affaiblir. Pourtant, de façon paradoxale, les sanctions ont plutôt eu tendance à renforcer l'emprise des Pasdaran sur l'économie, en affaiblissant leurs concurrents iraniens et étrangers touchés par la hausse des coûts commerciaux. En infiltrant les fondations religieuses (*bonyads*), ils ont réussi à acquérir un poids économique considérable dans le pays, et contournent facilement les obstacles rencontrés par le secteur privé, plus sensible aux restrictions des pays étrangers. L'association entre les Pasdaran et les puissantes bonyads constitue ainsi le quatrième pôle du pouvoir en Iran. Héritières de la colossale fortune des Pahlavi, les bonyads font partie intégrante du système politique iranien. Leurs dirigeants, nommés par le Guide, n'ont de comptes à rendre qu'à lui. Exonérées d'impôts, elles échappent aux contraintes réglementaires des entreprises et contrôlent des pans énormes de l'économie : 35 % du PIB et 40 % de l'économie hors secteur pétrolier. Elles brassent désormais des sommes d'argent considérables et bénéficient de réseaux d'influence colossaux. Le Guide suprême peut difficilement agir sans leur soutien. Les Pasdaran prennent donc une importance croissante dans le domaine économique, en partie grâce à leur accès à des postes dans les fondations, dans l'administration et dans les ministères. Cette alliance entre Pasdaran et fondations laisse prévoir une velléité de prise du pouvoir.

On voit ainsi s'affirmer la tentation d'une dictature banalisée qui n'aurait rien à envier à celle du Chah, avec pour seul objectif de faire des affaires, sur un modèle finalement peu éloigné de celui de l'Arabie Séoudite des années 1980-1990. Les Pasdaran veulent créer une nouvelle bourgeoisie : « Que les religieux rentrent dans les mosquées, déclare Ahad, haut représentant des Pasdaran à Yazd, que le président aille s'occuper de ses campagnards, et que le Guide retourne à ses études – il en a bien besoin. L'Iran est une grande puissance stratégique, politique, mais aussi économique. Nous, nous saurons reconstruire une classe moyenne dans notre pays. »

Tous les Pasdaran ne sont pas acquis à la cause d'Ahmadinejad. Certains respectent Mir Hossein Moussavi, son rival malheureux, pour le rôle qu'il a joué lors de la guerre contre l'Irak alors qu'il était Premier ministre de Khomeyni. Reste que les hauts gradés du corps des

Gardiens de la révolution ne ménagent pas leur soutien à Khamenei, garant de leur emprise sur de larges pans de l'industrie et de leur association avec les influentes fondations. Ils considèrent toutefois que les religieux les ont utilisés comme chair à canon lors de la guerre Irak-Iran entre 1980 et 1988 ; ils se disent trahis par le Guide qui, après les avoir soutenus, cherche à s'attirer les sympathies des religieux, et aussi par le président qui ne cache plus depuis sa réélection forcée son appartenance au courant millénariste, la Hojjatieh.

Une des organisations les plus controversées pour le rôle qu'elle joue au sein des cercles du pouvoir en Iran est la société de la Hojjatieh. Fondée en 1953 par un clerc de Machhad, Cheikh Mahmoud Halabi, afin de répondre au défi posé à l'islam chiite par le bahaïsme, la société Hojjatieh Mahdaviyeh est soupçonnée d'avoir acquis une influence considérable sur les dirigeants politiques de l'Iran. Depuis 2002, les accusations de subversion de membres du gouvernement par cette organisation, clandestine depuis 1983, se sont intensifiées. Le ministre des Renseignements et de la Sécurité annonçait ainsi en août 2010 l'arrestation de plusieurs membres clandestins de la société à Qom. Le 1er septembre de la même année, les quotidiens conservateurs *Aftab-e-Yazd* et *Kayhan* dénonçaient la menace que représenterait son influence grandissante pour la cause révolutionnaire. « Incarnation de l'obscurantisme » selon l'éditorialiste de *Kayhan*, son but serait de subvertir les fondements de la République islamique en répandant le désordre et en sapant le pouvoir du Guide pour hâter la venue du douzième imam.

Le caractère clandestin de la Hojjatieh rend difficile la mesure de son influence sur le gouvernement iranien. L'ayatollah Mohammad Taqi Mesbah Yazdi, membre de l'Assemblée des Experts et directeur de l'Institut pour la Recherche et l'Education de l'imam Khomeyni, est souvent cité comme son dirigeant, malgré un déni de sa part. L'école théologique de la Haqqani qu'il dirige à Qom, et qui a formé une partie de l'élite politique iranienne, serait ainsi un des centres de diffusion de l'idéologie de la société. Si tel était le cas, la Hojjatieh détiendrait un pouvoir considérable, étant donné l'influence de Mesbah Yazdi sur le Guide suprême. Reste que si certaines déclarations de Mesbah Yazdi recoupent en effet les théories développées par la Hojjatieh (notamment le retour de l'imam caché), d'autres l'en éloignent.

Lors de sa fondation en 1953, la société a pour but explicite de former au débat théologique des cadres laïques et cléricaux pour la défense de l'islam chiite contre les assauts jugés subversifs de la théologie bahaïe. Elle obtient un succès considérable parmi la jeunesse laïque éduquée, séduite par le discours modernisateur et la structure plus égalitaire de l'organisation. Au début des années 1970, un grand nombre de la future élite de la révolution islamique a été formé dans ses centres pédagogiques. Avec des membres au sein des universités, des forces armées et du gouvernement, la Hojjatieh avait acquis une grande influence en Iran dans les années 1970.

Officiellement, l'organisation rejette toute implication en politique. S'appuyant sur la tradition chiite selon laquelle en l'absence du Mahdi tout gouvernement est par essence corrompu, elle se place au côté du clergé quiétiste, à l'opposé du militantisme révolutionnaire d'un Khomeyni. Ses membres participent peu aux mouvements de révolte des années 1977-1979. Cependant, avec le succès de la révolution, Halabi, son fondateur, déclare son soutien à la République islamique, ne serait-ce que pour s'opposer aux aspirations des forces gauchistes qui avaient participé aux soulèvements, et propose son aide à Khomeyni. L'avènement de la République islamique d'Iran voit ainsi l'accession à des postes dans l'administration de plusieurs membres de la société, qui comptait parmi ses sympathisants des clercs éminents.

Dans le même temps, les relations entre Khomeyni et la Hojjatieh se dégradent. Le Guide suprême considère avec suspicion ces partisans de la dernière heure. D'autant que la théorie du pouvoir de Halabi est incompatible avec sa théorie du *velayat-e faqih*[1]. Par ailleurs, les accents anti-impérialistes et populistes de Khomeyni et de son Premier ministre Mir Hossein Moussavi inquiètent la Hojjatieh, la société recrutant la plupart de ses membres parmi les classes commerçantes du bazar et la classe moyenne traditionaliste.

Le 12 juillet 1983, la société est dissoute sur ordre de Khomeyni. Elle passe alors dans la clandestinité, mais serait restée puissante parmi les cercles marchands du bazar et dans certains milieux religieux de Qom, relançant ses activités après la nomination d'Ali Khamenei comme Guide suprême en 1989. D'anti-bahaï, son discours devient anti-sunnite, et se fait plus

---

1. Voir p. 126.

virulent. Par le biais de cercles d'influence, elle garde un contact étroit avec des membres de l'élite politique. Ahmadinejad est considéré comme y ayant appartenu au moment de la révolution, tout comme plusieurs de ses ministres.

Les accusations répétées contre la Hojjatieh sont de plusieurs ordres : division de la communauté musulmane en exacerbant le conflit entre sunnites et chiites, travail de sape du gouvernement islamique et du pouvoir du Guide par son rejet du *velayat-e faqih*, incitation au chaos pour hâter la venue du Mahdi, collusion avec les forces d'opposition laïque cherchant à renverser le régime iranien, voire collusion avec l'Occident. Du côté des réformistes et des pragmatiques, les critiques considèrent en revanche que la Hojjatieh constitue la véritable éminence grise du gouvernement iranien, ayant infiltré les plus hauts échelons du pouvoir dès l'accession à la présidence de Mahmoud Ahmadinejad et grâce au rôle de Mesbah Yazdi. Au lendemain de la première élection d'Ahmadinejad en 2005, l'ancien président Mohammad Khatami avait dénoncé les « traditionalistes arriérés soutenus par une puissante organisation ». Il avait été suivi dans ses propos par Ahmad Tavassoli, ancien directeur de cabinet de Khomeyni, qui avait ouvertement accusé la Hojjatieh d'avoir infiltré le corps des Gardiens de la révolution et la tête de l'exécutif. Si le caractère clandestin de la société permet difficilement de faire la part entre le vrai et le faux dans ces accusations, il est certain que le pouvoir du Guide est confronté à une remise en cause directe, tant de la part de membres du

gouvernement, que de celle de plusieurs clercs éminents, à Qom, Machhad et Nadjaf.

Une des figures qu'on associe souvent à la Hojjatieh pour justifier son influence est le très controversé
ayatollah Mohammad Taqi Mesbah Yazdi. C'est à la
mort de Khomeyni et à l'instigation d'Ali Khamenei
que ce dernier gagne en influence auprès du pouvoir.
Alors que Khamenei s'efforce de marginaliser les
membres du gouvernement les moins conservateurs,
exploitant sa rivalité avec Mir Hossein Moussavi, Premier ministre sous Khomeyni, et la gauche révolutionnaire, il se rapproche de Mesbah Yazdi qui étend son
influence à travers un réseau de clercs conservateurs
formés au sein de la fondation Haqqani qu'il dirige,
et actifs au sein de l'institution judiciaire. A partir de
1997 et de la victoire de Mohammad Khatami aux
élections présidentielles, MesbahYazdi devient un des
plus virulents détracteurs de la présidence. Lors de ses
deux mandats, Khatami va ainsi devoir faire face à une
véritable résistance de la part de ses partisans issus de
la Haqqani présents dans les institutions gouvernementales. Lors de la victoire controversée d'Ahmadinejad
en 2009, Mesbah Yazdi lui apporte son soutien explicite, et approuve la répression contre les manifestants.
Or, la Haqqani, qu'il dirige, dispose d'une influence
certaine sur les cercles du pouvoir.

Officiellement, Ahmadinejad a très longtemps
démenti une appartenance quelconque à la Hojjatieh.
Son arrivée au pouvoir avec le soutien explicite du
Guide suprême Ali Khamenei est en effet contraire à la
position de l'organisation, qui rejette ouvertement toute

participation officielle au système politique. Plusieurs éléments ont cependant servi à alimenter les spéculations d'un rapprochement de Mahmoud Ahmadinejad avec la Hojjatieh. D'abord, ses déclarations répétées de sa foi en un retour proche du Mahdi. Ensuite, la parution d'un ouvrage par un membre éminent de la Hojjatieh au lendemain de sa première élection en 2005, le mentionnant comme l'auxiliaire du retour du Mahdi. Dans le même temps, Mahmoud Ahmadinejad ne fait pas mystère de sa décision de choisir, non Ali Khamenei, mais Mesbah Yazdi comme guide spirituel. Ce dernier l'avait d'ailleurs soutenu lors de la campagne présidentielle de 2005 en proclamant une *fatwa* ordonnant aux membres du corps des Bassidji de voter en sa faveur. La contrepartie de ce soutien explicite a été l'entrée au gouvernement de membres de la Haqqani.

Les réactions des clercs réformateurs, parmi lesquels Khatami, ancien assistant de Khomeyni, ont été virulentes, dénonçant un noyautage du gouvernement par une secte arriérée, et assimilant Ahmadinejad, Mesbah Yazdi et ses partisans à la Hojjatieh. Ces diatribes discréditent leur engagement révolutionnaire en rappelant leur absence de participation à la révolution et l'hostilité de Khomeyni à leur égard. L'éventuelle influence de l'organisation sur le gouvernement inquiète également du côté de certains clercs conservateurs, dont Hadi Khamenei, frère du Guide suprême. Lors de l'élection de la Quatrième Assemblée des Experts en décembre 2006, Khamenei serait ainsi intervenu personnellement pour empêcher sa pénétration par des candidats partisans de Mesbah Yazdi.

L'assimilation de Mesbah Yazdi à la Hojjatieh reste cependant du domaine de la spéculation et semble assez hasardeuse. La ligne politique tenue par « l'Ayatollah Crocodile » et ses partisans se distingue en effet nettement de la ligne prônée par la Hojjatieh. Au point qu'on parle désormais d'une « Mesbahiey », dont l'objectif serait la mise en place d'un nouveau type de « gouvernement islamique », en contradiction avec la Hojjatieh dont la théorie invalide tout type de gouvernement islamique avant le retour du Mahdi. La position d'Ahmadinejad est en revanche plus complexe. N'étant pas un clerc, il pourrait tout à fait entrer dans le cadre élaboré par les théoriciens de la Hojjatieh, qui pourraient voir en lui un parfait auxiliaire à la mise en place d'un gouvernement sans intervention du clergé en politique, dans l'attente de la venue du Mahdi.

Reste la question du nucléaire. Quels que soient le camp ou la fraction politique auxquels appartiennent les Iraniens, ils sont quasiment unanimes, y compris les membres de la diaspora en exil, à considérer justifié leur droit au nucléaire. Non seulement l'accès à la technologie la plus avancée est présenté comme un droit inaliénable pour une nation qui veut jouer un rôle central au Moyen-Orient, mais face à Israël, aux Etats-Unis, et avec la présence de la bombe atomique chez les voisins pakistanais et indien, certains considèrent que l'acquisition de l'arme nucléaire constituerait un puissant levier de dissuasion. La guerre de huit ans avec l'Irak a laissé de profondes cicatrices dans la société iranienne, et les Iraniens ne sont pas prêts à assumer le risque d'un autre conflit meurtrier. Tout au moins à leurs frontières. C'est là l'obsession de tous les Iraniens et leur crainte de voir déferler sur leurs frontières orientales les hordes de Talibans afghans ou pakistanais ou les deux, dans le cadre de cette guerre entre les deux branches de l'islam, les sunnites et les chiites. Ils ne renonceraient au nucléaire militaire que si une puissance stratégique acceptait, à l'instar de ce qu'ont fait les Américains dans le cadre du pacte du Quincy[1], de défendre les frontières du pays, mais également le régime.

Vouloir diaboliser le régime, comme les Occidentaux le font, relève d'un angélisme puéril : c'est nier le caractère englobant de l'islam qui a cours dans tous les pays qui en ont fait une religion d'Etat, du Pakistan à l'Arabie Séoudite, qui sont pourtant nos alliés.

---

1. Du nom du navire sur lequel Ibn Séoud et le président Roosevelt conclurent ce pacte en 1945. Renouvelé régulièrement depuis, ce pacte stipule que l'Arabie Séoudite assure le ravitaillement en pétrole des Etats-Unis en contrepartie d'une protection de ses frontières et du régime par la puissance américaine.

14

Faut-il avoir peur de l'Iran ?

L'Iran est diabolisé, comme ce fut le cas de l'Egypte avec Nasser dans les années 1950. Néanmoins, cette diabolisation tient essentiellement à l'arme nucléaire. Isolé, subissant des sanctions de la part de la communauté internationale, le régime iranien s'est radicalisé, notamment après l'élection forcée d'Ahmadinejad en juin 2009. Mais, contrairement à ce qui est dit, l'Iran entretient des relations continues avec les Américains. C'est avec les Iraniens que les Américains ont négocié leur départ d'Irak le 31 décembre 2011. Les négociations ont duré du 22 septembre au 28 décembre. Ils ont traité avec le président du Parlement, Larijani, et le conseiller diplomatique du Guide. D'où la colère noire du président Ahmadinejad, qui a menacé de toucher au détroit d'Ormuz, lorsqu'on sait que, s'il n'avait fait que tremper un doigt dans ce détroit, il en aurait été dissuadé dans le quart d'heure suivant. C'est au lendemain de ces négociations qu'ont à nouveau circulé des rumeurs de frappe sur l'Iran. Mais on peut affirmer, sans crainte d'être démenti, qu'il

n'y aura de frappes ni américaines ni israéliennes.
A-t-on déjà vu Israël annoncer par avance qu'il allait
frapper ? Dès lors, on peut estimer que l'Iran a commencé, lentement mais sûrement, son entrée dans le
giron de la communauté internationale pour prendre
sa place dans l'alliance stratégique des Etats-Unis
dans la région, une fois que la communautarisation
sera terminée. Celle de la Syrie est en cours. Alors,
à côté de la Turquie, pays à population sunnite et de
confession laïque, et d'Israël, Etat hébreu, s'imposera
un Etat chiite. Les Etats arabes ne seront plus que des
relais de la puissance occidentale, comme l'Algérie
pour l'Afrique du Nord, l'Arabie Séoudite sans doute
pour la péninsule Arabique, et l'Egypte pour la vallée
du Nil. L'alliance américaine se met en place.

De plus, Ahmadinejad a été lâché par le Guide au
printemps 2012. Il en était question depuis longtemps :
une fatwa a été rendue publique, condamnant la pos-
session de l'arme nucléaire.

Que veut donc l'Iran ? Surtout être rassuré. Parce
que les Iraniens ont peur (voir chapitre 11). Qui les pro-
tégerait si par exemple des hordes de Talibans pakistanais, afghans traversaient la frontière orientale ? Ils
ont besoin – ils le disent et le répètent en privé – d'une
alliance stratégique avec une puissance. Quand on sait
que les Anglais et les Russes sont *persona non grata*
en Iran, pour avoir voulu dépecer l'Empire durant tout
le XIXe siècle (ce que les chancelleries appellent alors le
« Grand Jeu »), lorsque les Russes ont occupé le Nord
et les Anglais le Sud, il est évident que les Iraniens
doivent se tourner vers une autre puissance. L'Al-

lemagne est considérée comme une puissance marchande. Il ne reste que les Américains et les Français.
Les Français s'étaient inscrits aux abonnés absents :
tous les ministres des Affaires étrangères qui se sont
succédé depuis 2004 ont plutôt été des ministres étrangers aux affaires, qui n'ont tenu aucun compte de ce
que les Iraniens étaient les inventeurs du jeu d'échecs.
Les Etats-Unis sont beaucoup plus pragmatiques. Ils
ont pris langue avec les Iraniens depuis fort longtemps.

En août 2011, *La Tribune* publie sur deux colonnes
un article concernant deux cents entreprises israéliennes épinglées aux Etats-Unis par la loi D'Amato,
qui condamne tout pays ou toute entreprise commer-
çant avec l'Iran de manière régulière. Deux cents ! Et
pourquoi ce soudain intérêt américain ? Tout simplement parce que le chiffre d'affaires de ces entreprises
avait dépassé celui des entreprises des Etats-Unis tra-
vaillant en Iran, pour la plupart sous pavillon canadien.

Il n'en reste pas moins que l'Iran a été désigné comme
un Etat voyou. Or, si l'Iran était un Etat voyou, il ferait
bouger les chiites dans la péninsule Arabique. Pour rap-
pel : 10 % des chiites en Arabie Séoudite, concentrés
dans la région pétrolière où ils représentent 30 % de la
population, 30 % de Koweïtiens chiites, 27 % d'Emira-
tis chiites, pour la plupart d'origine iranienne – dans le
souk de Dubaï, on parle farsi –, 70 % de la population
bahreïnie… Si ces chiites commençaient à se manifester sous la houlette du régime iranien, il est certain que
le prix du baril de pétrole exploserait. Et qu'aucune
économie occidentale ne pourrait y résister.

La diabolisation de l'Iran touche le peuple, mais ne gêne pas le régime. Il est vrai que ce régime théocratique dérange les Occidentaux, alors que les régimes théocratiques séoudien ou qatari ne leur posent aucun problème, alors même que le Qatar est en train d'acheter nos banlieues et de s'implanter durablement en France en y important un islam rigoriste[1]. Ce sont d'ailleurs des alliés. Deux poids, deux mesures. Ce que les Iraniens dénoncent et ont du mal à accepter.

Il est certain que s'ils ne veulent pas produire l'arme nucléaire, ils veulent montrer au monde qu'ils sont capables de maîtriser sa technologie. Et les Iraniens vont très probablement y parvenir. Mais ils ne produiront pas pour autant. D'autant qu'ils savent parfaitement que s'ils fabriquaient une seule tête nucléaire, les Séoudiens et les Egyptiens recevraient automatiquement des armes nucléaires de leurs amis américains. Ce n'est pas ce que veulent les Iraniens. Ils cherchent, on l'a dit, un accord avec une puissance similaire au pacte de Quincy liant l'Arabie Séoudite et les Etats-Unis[2].

Le président Ahmadinejad, qui ne pouvait pas se représenter, a quitté le pouvoir en juin 2013. Nous assistons déjà à une ouverture. Les Iraniens ne veulent plus de la guerre à leurs frontières. Ils ont payé le prix fort face à l'Irak. Les Pasdaran ne veulent plus servir de chair à canon. Ils veulent faire des affaires. Les

---

1. Arthur Frayer, « Après le PSG, le Qatar au chevet des banlieues françaises », *Le Monde*, 5 janvier 2012, consultable en ligne, « http://www.lemonde.fr/societe/article/2012/01/05/apres-le-psg-le-qatar-au-chevet-des-banlieues-francaises_1626112_3224.html ».

2. Voir p. 146.

fondations aussi. C'est pour cela qu'ils espèrent une ouverture économique.

Dans cette optique, et avant même les élections présidentielles iraniennes en juin 2013, Michel Rocard s'est rendu, entre les deux tours des présidentielles françaises, en Iran en 2012. Cette visite a été perçue par les observateurs comme une préparation au rapprochement entre l'Iran et l'Occident. Cela participe du désenclavement de l'Iran, qui reste une puissance régionale. Les Iraniens sont devenus acteurs à temps complet du Proche-Orient et du Moyen-Orient à travers la diplomatie chiite ou l'instrumentalisation du chiisme.

Quelle peut être l'issue de cette guerre fratricide ? Comme nous l'avons écrit, à partir d'un même socle, il s'agit de deux religions différentes qui, au-delà de l'anathème lancé par les chiites contre « ceux qui ont assassiné et martyrisé le petit-fils du Prophète », ainsi que des « excommunications » décrétées par l'orthodoxie sunnite contre les « hérétiques » chiites, ont bâti respectivement des dogmes différents : l'*ijtihad* (effort d'interprétation), figé depuis le XIe siècle dans le sunnisme et qui se poursuit aujourd'hui dans le chiisme ; l'imamat, qui prend un sens différent chez les uns et les autres ; et surtout le fait que le sunnisme qui se considère comme l'aboutissement du monothéisme, alors que les chiites attendent l'« imam caché » qui doit accompagner le Mahdi (le Messie)…

L'Iran s'est imposé au Proche et au Moyen-Orient comme une grande puissance régionale, avec sa capacité de nuisance vis-à-vis des pays arabes et sunnites. C'est en ce sens que le maintien du régime alaouite à Damas est vital pour les Iraniens ; c'est en ce sens également que la menace iranienne de faire pression sur les chiites dans la péninsule Arabique pèse comme une épée de Damoclès sur les régimes de cette région. L'Occident n'a pas à prendre parti, mais plutôt à jouer les médiateurs sinon les passerelles.

Si Washington dispose d'alliés liges dans la région, si la Grande-Bretagne, perfide Albion, a fini par susciter la méfiance des populations et des gouvernements, si l'Allemagne est perçue exclusivement comme une puissance marchande, la France avait un atout incontournable, elle était la seule à pouvoir parler avec tout le monde. C'est vers cet objectif qu'il faut tendre pour retrouver une pleine efficacité, à la fois diplomatique et stratégique, dans la région. C'est surtout à cette condition que la France, quels que soient son gouvernement et sa couleur politique, pourra jouer un vrai rôle de médiateur.

Conclusion

La diabolisation de l'Iran fait partie de ces erreurs commises par l'Occident depuis la seconde moitié du XXe siècle. Lorsque, à la sortie de la guerre de Suez, le monde libre sous la férule des Etats-Unis a contracté une alliance stratégique avec l'Arabie Séoudite. Cela était sans doute compréhensible de la part des Britanniques, mis à l'index en Iran aussi bien par le Chah que par les mollahs pour avoir voulu dépecer l'Empire perse au début du XXe siècle. Cela l'est moins de la part de la France, qui a eu pendant quatre siècles des relations paritaires et égalitaires avec toutes les dynasties perses. Quant aux Américains, ils jouent avec l'Iran au « je t'aime moi, non plus » depuis la chute du Chah qu'ils ont eux-mêmes lâché sans états d'âme. Même aujourd'hui, leur attitude est assez ambiguë pour ne pas se laisser résumer à une posture tranchée à l'égard de la République islamique.

C'est avec les Iraniens que les Américains négocient leur sortie d'Irak, obéissant sans doute au proverbe arabe « Celui qui a épousé ma mère est devenu mon beau-père ». Les Israéliens ne sont pas en reste, eux qui commercent régulièrement avec le pays des mollahs[1]. Le redire est nécessaire pour souligner cette hypocrisie généralisée.

Manifestement, au-delà de la guerre sunnites-chiites par laquelle l'Occident n'est pas concerné, nous assistons à une reconfiguration générale dans cet Orient proche et moyen. Souvenons-nous de la phrase du secrétaire d'Etat Henry Kissinger, qui écrivait en 1974 que les Etats-Unis seraient désormais « les interlocuteurs incontournables de tout conflit au Moyen Orient ». Les observateurs se posaient alors la question de savoir de quel conflit il pouvait s'agir puisqu'il n'y en avait qu'un, certes immense : le conflit israélo-arabe, qui avait déjà coûté quatre guerres à la région. Mais il est vrai qu'à partir de 1975 le chapelet va s'égrener : guerre du Liban, qui ne fut civile, il faut le rappeler, qu'après huit ans d'interventions d'éléments extérieurs (Palestiniens, Syriens, Arabes de la Force de dissuasion, Israéliens en 1978 puis 1982...) ; invasion de l'Afghanistan par l'Armée rouge, suscitant l'ingérence américaine à travers les Moudjahidin et notamment un certain Ben Laden ; guerre Irak-Iran, triple guerre : ethnique, religieuse et stratégique ; double Intifada palestinienne en 1987 et 2000 ; invasion du Koweït par les troupes de Saddam Hussein en 1990 ; guerre du Golfe contre l'Irak en 1991 ; premier attentat contre le World Trade Center de New York en 1993 et première apparition internationale d'Al-Qaida ; accords d'Oslo qui ont valu l'assassinat d'Yitzhak Rabin en 1995 ;

---

1. Voir p. 149.

attentats contre les ambassades américaines au Kenya et en Tanzanie (Nairobi et Dar es-Salaam) en 1998, et contre l'*USS Cole* dans le golfe d'Aden en 2000 ; attentats du 11 Septembre ; invasion de l'Irak en 2003 ; pour enfin aboutir, en 2011, aux « printemps arabes » accompagnés de tempêtes du désert.

Nul ne va bouder la chute des dictateurs plus ou moins sanguinaires, auxquels nos alliés séoudiens et qataris n'ont cependant rien à envier. Mais cette reconfiguration de la région se fait au détriment d'une citoyenneté que les peuples avaient mis un demi-siècle à bâtir au sortir de l'Empire ottoman. L'Irak est devenu trois pays en un ; le Liban connaît une partition sur le terrain, et la Syrie est menacée d'éclatement. Les citoyennetés communautaires issues de ce qu'on a appelé le « printemps arabe » ne sont pas en phase l'une avec l'autre mais plutôt exclusives.

Sunnites et chiites ont retrouvé chacun leur *'asa-biyya* (lien au-delà du sang, clanique et tribal) : les chiites irakiens ont combattu en 1980 contre l'Iran, mettant en avant leur citoyenneté irakienne ; aujourd'hui, à l'instar des chiites libanais, pakistanais, indiens, afghans et chinois, ils regardent Téhéran comme leur nouveau « Vatican ». La guerre qui les oppose aux sunnites suite aux anathèmes qu'ils ont lancés les uns contre les autres est une vraie guerre de religion, ressemblant paradoxalement à celles que l'Occident a connues il y a déjà quelques siècles : le même fanatisme, le même aveuglement habite les uns et les autres. C'est en train de devenir sous nos yeux une guerre mondiale.

Le rôle de cet Occident qui a souffert de ses guerres de religion et qui a su en sortir serait d'être une passerelle. Mais pour cela il faudrait savoir parler avec tout le monde. C'est ce que la France avait réussi à faire jusqu'à ces dernières années. Les Etats-Unis, pragmatiques et efficaces, en redessinant le Moyen-Orient comme le montrent les cartes de l'annexe 3, cherchent avant tout à servir les intérêts américains. L'Europe n'en peut mais : en l'absence d'un seul ministre des Affaires étrangères et d'un seul ministre de la Défense qui parlent au nom des 27 pays européens, l'Union européenne se contente de pratiquer une politique de chéquier sans même pouvoir mettre sur pied une architecture de sécurité dans les points de conflit. En allant en Libye, sans doute parce qu'on avait raté la Tunisie et l'Egypte, nous avons cru un instant redevenir une puissance. Mais si l'on a protégé la population de Benghazi, on a laissé pitoyablement massacrer celle de Syrte.

Pourquoi la France est-elle impuissante – sinon absente – devant les événements de Syrie ? Certes, le ministre des Affaires étrangères s'égosille à demander le départ de Bachar el-Assad – en vain. Soutenu par la Russie et l'Iran ainsi que par la Chine, le régime syrien se maintient et semble gagner du terrain sur les insurgés.

Ces derniers, pourtant, sont régulièrement alimentés en armes, en hommes et en matériel par le Qatar et l'Arabie Séoudite qui ont, si l'on peut dire, tombé le masque, puisqu'ils appuient partout où ils le peuvent les salafistes aussi bien que les islamistes, faisant passer ces derniers pour des modérés aux yeux de l'opinion publique. Les Turcs, quant à eux, se montrent désormais plus réservés, se contentant de laisser ouvert un seul poste frontière : celui de Bal el-Hawa.

Russes et Chinois rendent un fier service aux Occidentaux en opposant régulièrement, au Conseil de sécurité des Nations unies, leur veto à toute résolution laissant poindre une intervention internationale en Syrie. Serions-nous vraiment prêts à envoyer nos soldats, nos avions et nos navires de guerre en Méditerranée orientale ? Rappelons que l'armée syrienne est loin d'être aussi inefficace que l'armée libyenne...

C'est d'ailleurs l'affaire de la Libye qui a entraîné la radicalisation de la posture russe : Moscou vient de réaffirmer son soutien au régime de Damas. Sous l'impulsion d'un intellectuel sans aucun doute épris de bons sentiments, nous nous sommes précipités en Libye pour défendre les habitants menacés par le sanguinaire Kadhafi ; nous avons en même temps laissé mourir la population de Syrte. En envoyant des troupes au sol, nous avons outrepassé la résolution du Conseil de sécurité qui prévoyait uniquement la neutralisation du ciel libyen, empêchant ainsi le bouillant et non moins dictateur d'utiliser son aviation contre sa propre population.

Aujourd'hui, la Libye est déchirée entre tribus et régions qui veulent toutes avoir une part du gâteau. Le droit d'ingérence utilisé depuis le début du troisième millénaire par l'Occident en Afghanistan et en Irak, avec les résultats que l'on sait, transgresse l'un des principes fondamentaux des relations internationales : celui de la souveraineté des Etats. Pourquoi pas ? A

défaut de le remplacer par un autre système diplomatique, qui demeure introuvable. D'autant qu'utilisé
exclusivement par l'Occident vis-à-vis des pays du
Sud, ce droit d'ingérence pourrait avoir des relents de
néocolonialisme avéré.

La situation en Syrie est différente : mosaïque d'ethnies – Circassiens, Turkmènes, Kurdes – et de religions
– chrétiens rattachés ou séparés de Rome, sunnites
majoritaires, chiites alaouites, ismaéliens ou druzes –,
le pays est aujourd'hui menacé d'éclatement, à l'instar
de l'Irak.

Tout cela n'explique toutefois pas la faiblesse de la
France, hier encore puissance de référence au Levant.
M. Juppé, en son temps, avait rappelé notre ambassadeur à Damas et renvoyé parallèlement celui de Syrie
en France. Est-ce une solution ? La diplomatie ne sert-
elle pas surtout avec ses adversaires ? Une rupture des
relations ne gêne-t-elle pas plus les peuples que les
gouvernants ?

En février 2005, lors du tragique assassinat de l'ancien président du Conseil libanais Rafic Hariri, Jacques
Chirac, qui connaît pourtant la région bien mieux que
d'autres, s'est laissé emporter par l'émotion et la passion causées à juste titre par la perte d'un « ami très
cher », accusant immédiatement les Syriens d'être les
commanditaires de l'attentat. Peut-être. Sans doute.
Mais l'enquête n'avait pas encore commencé... La
France, dont la puissance et l'atout majeur dans cette
région étaient de garder langue avec tous, ne parlait
plus avec les Syriens.

La France n'avait déjà plus de relations avec l'Iran, pourtant puissance régionale incontestée, alliée de la Syrie et contrôlant le Hezbollah au Liban. En conséquence, la France ne parlait plus avec une bonne portion des Libanais puisque le général Michel Aoun, force incontournable du camp chrétien, s'était allié au Hezbollah.

La France ne communique plus avec une partie des Libyens, certaines tribus et régions s'accrochant à l'ancien régime tandis que le nouveau tarde à « récompenser » les pays qui l'ont installé.

La France ne converse pas souvent avec l'Algérie, dans un perpétuel jeu de revirements mutuels.

La France a du mal à discuter avec les Irakiens, surtout depuis un récent incident au cours duquel un colonel, membre d'une délégation officielle en visite en France, a été arrêté à sa descente d'avion et mis en garde à vue durant vingt-quatre heures par des gendarmes zélés, sur plainte d'un opposant iranien d'Auvers-sur-Oise.

La France a, enfin, du mal à établir un dialogue avec l'Egypte nouvelle, tombée dans l'escarcelle des Frères musulmans.

En somme, la France est en train de perdre son rôle, sa crédibilité et l'efficacité de ses médiations.

Plus que tout cela la France, protectrice des chrétiens dans les anciennes provinces de l'Empire ottoman depuis François Ier, se voit désormais contestée avec succès dans ce rôle par un certain Vladimir Poutine. Le « tsar russe » ne cache pas son ambition de prétendre être dorénavant le défenseur des chrétiens d'Orient, à travers la diplomatie de l'Etat russe, mais également celle des popes de l'Eglise orthodoxe.

Un adage levantin rappelle qu'il n'est pas de guerre possible au Proche-Orient sans l'Egypte, comme il n'existe pas de paix possible dans cette région sans la Syrie. Certains n'hésitaient pas à ajouter qu'il ne pouvait y avoir de stabilité sans une présence française, rempart contre les velléités hégémoniques anglo-saxonnes. Cette sentence ferait-elle désormais partie du passé ?

ANNEXES

Repères chronologiques

Le conflit entre chiites et sunnites :
origine et développements

Le califat d'Ali, qui se veut le successeur de Mou-hammad, est contesté dès le départ car le processus qui a conduit à sa désignation a été entaché par l'assassinat d'Othman. Ali, le quatrième calife, sera considéré comme le premier « imam » des chiites. Ali est contesté par Abou Bakr (père d'Aïcha, l'épouse préférée du Prophète), qui craint que sa jeunesse (Ali a trente-deux ans) et son manque d'expérience ne l'empêchent de rassembler toutes les tribus.

656 : Bataille du Chameau
Le premier combat armé entre musulmans : Ali, le gendre et cousin du Prophète, défait Aïcha, l'épouse préférée du Prophète, et ses partisans.

657 : Bataille de Siffin
Conflit armé entre Mo'awiya (gouverneur de Damas) et Ali. La bataille prend fin lorsque des soldats de Mo'awiya accrochent des feuillets du Coran au bout de

leurs lances. Après avoir accepté la mise en place d'un arbitrage, Mo'awiya et Ali se retirent avec leurs troupes. Mais le jugement rendu en faveur de Mo'awiya relance le conflit en ajoutant à la confusion. Soutenu par les musulmans de Syrie, bientôt rejoints par ceux du Hedjaz, en Arabie, Mo'awiya s'emploie à prendre le contrôle de l'empire musulman en laissant Ali et ses partisans occuper l'Irak, où ils se sont repliés à Koufa. Ali est affaibli par les divisions à l'intérieur de son propre camp.

658 : Bataille de Nahrawan

Bataille au bord du Tigre entre Ali et une partie de ses partisans, les kharijites, qui sont défaits.

661 : Assassinat d'Ali

Ali est assassiné par un kharijite. Mo'awiya lui succède et fonde la dynastie des Omeyyades.

678 : Aïcha meurt à La Mecque

680 : Hussein, fils d'Ali, est tué à Karbala. Naissance du rite de l'Achoura

Le mausolée qui se dresse aujourd'hui dans la ville de Karbala est l'un des plus grands sanctuaires du chiisme. Saddam Hussein l'a fortement endommagé en 1991, lors de l'insurrection chiite à la fin de la première guerre du Golfe.

VIIe siècle : Création du concept de Bida

Le chiite al-Mokhtar créé le concept de Bida, le changement de l'histoire décidé par Allah. Il s'agit d'affirmer que le cours des choses n'est pas figé, qu'il ne s'arrête pas à la Prophétie, et que le projet de Dieu est en mouvement. Que l'histoire finalement n'est pas écrite.

Mokhtar théorise déjà ce besoin de changer le monde qui, au XXe siècle, fera des chiites irakiens les premiers communistes du monde arabe.

740 : Fondation de plusieurs émirats indépendants, à la suite d'une fracture entre chiites

Pour les chiites, l'imamat doit revenir à la descendance du prophète Mouhammad *via* Ali et ses fils Hassan et Hussein. Mais ils se sont très vite séparés sur le choix de l'imam. La première divergence se produit sous les Omeyyades avec Zayd ibn Ali, descendant de Hussein et frère de Mohammed al-Bakir, reconnu comme cinquième imam par la plupart des chiites. Après la mort de Zayd en 740 à Koufa, ses partisans, les zaydites, fonderont plusieurs émirats indépendants dont seul survivra celui du Yémen.

VIIe siècle : Orientation juridique du chiisme duodécimain

Elle est fixée par l'école jaafariste, qui doit son nom à l'éminent théologien juriste qu'a été Jaafar as-Sadiq, le sixième imam. Après la mort de Jaafar as-Sadiq en 765, une nouvelle fracture intervient : certains chiites vont rester attachés à Ismaïl, son fils aîné, qu'il avait dans un premier temps désigné comme successeur. Ce sont les ismaéliens, pour lesquels Ismaïl est le septième imam légitime. Mais Ismaïl étant décédé avant la mort de son père Jaafar as-Sadiq, une majorité s'est alors tournée vers son fils cadet, Musaa, devenu le septième imam d'une lignée qui s'est achevée en 874, après la disparition du douzième imam. Cette branche a donné le chiisme duodécimain, ainsi nommé parce qu'il reconnaît une succession ininterrompue de douze imams légitimes.

VIIIe et IXe siècles : Elaboration de la charia (la loi de l'islam)
Début des divergences entre sunnites et chiites en ce qui concerne la théologie (*kalam*), la tradition (*sunna*), la loi musulmane (*charia*) et la voie mystique (soufisme).

La charia a été élaborée d'abord à partir du Coran et de ses commentaires, puis pour répondre à des situations et des questions nouvelles, en cherchant à combler les lacunes juridiques du Coran. D'où la recherche d'enseignements pratiques puisés dans la vie exemplaire du Prophète. C'est pourquoi les fondateurs du droit (le *fiqh*) musulman ont tenu un rôle déterminant dans l'établissement de la tradition dans le sunnisme. Mais, pour les chiites comme pour les sunnites, la charia découle bien de deux sources principales ; le Coran et la Sunna, cette dernière étant différente chez les sunnites et les chiites.

IXe siècle : Les mu'tazilites
Le calife al-Mamoun (813-833) favorise l'école mu'tazilite, un courant nationaliste qu'il imposera comme religion d'Etat. Ses deux successeurs, al-Moutasim (833-842) et al-Wathik (842-847), soutiennent encore le mu'tazilisme, mais cette consécration sera de courte durée : les oulémas attachés à l'orthodoxie sunnite imposent à leur successeur al-Moutawakkil (847-861) d'abandonner le mu'tazilisme. Al-Mamoun est très attiré par le chiisme, mais dans le même temps il cherche à endiguer les révoltes chiites récurrentes. Les mu'tazilites ont été les grands promoteurs du renouvellement, des philosophes et théologiens parfois dénommés les « rationalistes de l'islam ». Une de leurs principales thèses portait sur la justice de Dieu, dont maints passages du Coran rappellent qu'il est, entre autres choses, celui qui récompensera ou punira lors du Jugement dernier. Pour eux, l'homme est donc res-

ponsable du bien et du mal qu'il fait. En conséquence de quoi, son salut dépend non seulement de sa foi mais aussi de la conformité de ses actes avec la volonté divine.

874 : Disparition du douzième imam

Mohammed al-Mahdi « disparaît » à l'âge de cinq ans. Les chiites duodécimains le reconnaissent comme étant le douzième imam légitime, l'« imam caché » qui reviendra à la fin des temps. Cette « occultation » survient à Samarra, en Irak, là même où se déclenchera en 2006 la guerre civile entre sunnites et chiites, après l'attentat contre le mausolée, tout près des tombeaux des dixième et onzième imams. Les fanatiques d'Al-Qaida se sont donc attaqués aux symboles phare du chiisme, ceux de son attente messianique. Approfondie par les savants religieux duodécimains durant les Xe et XIe siècles, la doctrine de l'imamat sera encore enrichie par une réflexion théologique et juridique basée sur la raison (*aql*). En témoigne l'œuvre des juristes de l'école de Hilla (Irak) durant le XIIIe siècle. La différence la plus notable avec le sunnisme concerne le statut de la femme, probablement en raison du statut éminent qu'accordent les chiites à Fatima, la fille du Prophète et l'épouse d'Ali. Dans le droit duodécimain, la répudiation d'une épouse est ainsi plus difficile, et les femmes y sont privilégiées en matière de succession. En revanche, les duodécimains font droit au mariage temporaire (dit « de plaisir ») que rejettent les autres chiites, ainsi que les sunnites qui y voient une forme de prostitution.

909 : Début de l'épopée des Fatimides

Obeid Allah, dit le « Mahdi », un chef chiite ismaélien d'origine syrienne, réussit aux environs de 909 à séduire les populations berbères d'une partie de l'Algérie et de la Tunisie actuelles. Obeid Allah installe d'abord sa capitale à Kairouan, dans l'actuelle Tunisie, puis fonde la ville de Mahdia, où il se proclame calife : il crée la dynastie des Fatimides, qui doivent leur nom à Fatima, la fille de Mouhammad et l'épouse d'Ali, dont ils s'affirment les descendants *via* son fils Hussein. Obeid Allah et ses successeurs vont être défaits par des tribus berbères sunnites. Cependant, ils vont marquer le pays de leur empreinte, puisque l'Achoura continue encore aujourd'hui à être fêtée par une partie de la population en Algérie.

929 : Fondation du califat de Cordoue

Fondation par Abd el-Rahman du califat omeyyade de Cordoue, rival des dynasties fatimide (Afrique du Nord) et abbasside (Irak).

969 : Installation des Fatimides en Egypte

Ils y établissent un califat et fondent la ville du Caire.

X^e-XIe siècle : Fermeture des portes de l'interprétation chez les sunnites

Le penseur musulman Ghazeli (1058-1111) entendait éradiquer toute interprétation déviante suscitée par les fidèles d'Ali. La seule voie d'accès à la sagesse et à l'enseignement d'Allah, c'est le Coran et la Sunna ; le sunnisme décrète « la fermeture des portes de l'interprétation ». Le soufisme devient suspect. Cette adoration d'Allah par l'extase, répandue dans tout le Proche-Orient, héritage des contemplatifs chrétiens solitaires, présente bien trop de points communs avec le chiisme. C'est d'ailleurs à travers des confréries soufies que la Perse, bien plus tard, viendra au chiisme…

XIe et XIIe siècles : Les ismaéliens

Les ismaéliens d'Alamut (chiites ultras qui considèrent l'imam comme supérieur à Mouhammad) abolissent la charia, la loi religieuse. Leur résistance farouche aux pouvoirs établis des Fatimides et des Abbassides et la situation de la forteresse d'Alamut, un nid d'aigle perché à deux mille mètres d'altitude, firent naître bien des légendes. Ils gagnèrent l'Inde et le Pakistan, où ils constituent aujourd'hui une communauté chiite. Ils sont également présents, de manière minoritaire, en Syrie, en Afrique orientale (au Kenya). Leur branche la plus forte est celle dirigée par l'Aga Khan. Sur les plans théologique et juridique, l'ismaélisme accorde plus d'importance à la dimension ésotérique de la révélation coranique qu'au strict respect des prescriptions religieuses et sociales de l'islam.

1171 : Fin de la dynastie fatimide

La dynastie fatimide n'a pas réussi à convertir au chiisme la population égyptienne. Le kurde Salah al-Din (Saladin), un musulman sunnite, s'empare de l'Egypte. Après la chute des Fatimides, la mosquée Al-Azhar devient l'un des pôles de l'islam sunnite, et les docteurs des quatre écoles de droit sunnite y débattront ensemble.

XVIᵉ siècle : La dynastie des Séfévides crée en Iran un véritable clergé au service du chiisme duodécimain devenu religion d'Etat

Une différence notable entre le chiisme et le sunnisme est la création, à partir du XVIᵉ siècle, d'un clergé en Iran dont l'objectif est de suppléer à l'absence de l'imam dans sa fonction de guide de la communauté des croyants, sur les plans spirituel et juridique, puis sur le plan politique. Depuis, le chiisme duodécimain est resté la branche la plus importante du chiisme. C'est aujourd'hui la religion de 90 % des Iraniens.

1802 : Destruction des lieux saints chiites en Arabie Séoudite

1924 : Prise de La Mecque par Ibn Séoud

Ibn Séoud chasse le chérif Hussein, de la tribu des Hachémites et descendant de la famille du Prophète.

Le cimetière Al-Baqi à Médine où était supposée reposer Fatima, la fille de Mouhammad, épouse d'Ali, est partiellement détruit. Les tombes de plusieurs imams se trouvent dans ce lieu.

Début des années 1970 : Propagande séoudienne

La monarchie séoudienne commence à financer la construction de mosquées et la formation des prêcheurs. Gardienne des lieux saints, elle consacre des milliards à l'organisation du pèlerinage de La Mecque, autour de la Pierre noire qui réunissait, avant même Mouhammad, les tribus d'Arabie. Les wahhabites rasent les derniers vestiges du cimetière Al-Baqi, à Médine. Riyad, grâce au prestige du pèlerinage, est devenue la colonne vertébrale de la Oumma. Partout dans le monde, le sunnisme se convertit au wahhabisme, qui en est une version rigoriste. Les chiites représentent 10 % des 17 millions de Séoudiens.

1979 : Révolution islamique d'Iran

La révolution iranienne met fin au régime du Chah et permet la création de la République islamique d'Iran. Mais Khomeyni fait du guide un potentat, ce qui est contraire à l'essence même du chiisme. Khomeyni a « sunnisé » le chiisme, en le transformant en machine de pouvoir. La terreur a suivi la révolution.

1980 : Soulèvement de la minorité chiite dans la province orientale d'Arabie Séoudite, là où se trouvent les gisements pétrolifères. Les Séoudiens craignent une sécession de la région. Cette peur va s'accroître avec la montée en puissance du régime islamique iranien.

Septembre 1980 : Déclenchement de la guerre entre l'Iran et l'Irak. La Syrie prend fait et cause pour l'Iran chiite. La guerre va durer jusqu'en août 1988. Elle fera environ un million de morts.

Février 1982 : Les insurgés sunnites, dirigés par les Frères musulmans, sont massacrés à Hama par l'armée du président alaouite (branche appartenant au chiisme) Hafez el-Assad. Les sunnites, majoritaires démographiquement, représentent environ 70 % de la population syrienne.

1982-1983 : Création du Hezbollah, bras armé de l'Iran au Liban.

Février 1989 : Fatwa lancée par Khomeyni contre l'écrivain Salman Rushdie, auteur des *Versets sataniques*.

1993 : Le vice-président du Comité des oulémas séoudiens, le cheikh Ben Jibreen, déclare : « Le chiite est un idolâtre qui doit être éliminé ! » Oussama Ben Laden, quant à lui, estime que « les chiites sont des mécréants, des apostats à combattre comme les juifs ».

Novembre 2002 : En Turquie, la victoire des islamistes aux élections législatives est une tragédie pour les chiites, qui constituent le quart de la population. Ces chiites, les « Alévis », de tradition soufie, ont développé une doctrine originale, libérale, sans clergé. Les persécutions qu'ils ont subies sous l'Empire ottoman sunnite en ont fait, lors de la révolution kémaliste, les plus fidèles soutiens d'Atatürk. C'est pour cette raison qu'ils sont depuis dix ans la cible d'attentats orchestrés par les salafistes. Les Alévis appartiennent au camp laïque en Turquie.

Mars 2003 : Intervention américaine en Irak.
Début des attentats spectaculaires contre les chiites à Karbala.

Septembre 2003 : Assassinat du grand ayatollah Mohammed Baqr al-Hakim, leader de l'opposition chiite à Saddam Hussein, fondateur des célèbres brigades Badr, qui sèment la terreur parmi les populations sunnites de Mésopotamie.

Avril et août 2004 : Affrontement entre l'« armée du Mahdi » (chiite), la milice de Moqtada al-Sadr, et l'armée américaine à Najaf. Le grand-oncle de Moqtada al-Sadr, Mohammed Baqr al-Sadr, est un célèbre ayatollah ami des Iraniens qui a approuvé le premier projet de Constitution de la République islamique d'Iran et a été sauvagement assassiné par le régime de Saddam Hussein en 1980.

Janvier 2005 : Elections « libres » en Irak
La répartition des sièges se fait selon des critères dangereux, sans considération de l'appartenance à une circonscription, une région, une tendance politique. Une liste unique chiite rassemble les plus modérés et les plus fanatiques. Elle détruit la diversité chiite. L'Irak est un pays où les zones mixtes sont nombreuses, enchevêtrées dans des majorités locales sunnites au centre du pays, chiites au sud, kurdes au nord. Bagdad est un patchwork de quartiers métissés. La liste unique chiite, cette illusion d'optique, a contribué à l'aveuglement de tous. Car elle colle exactement au fantasme des sunnites : un bloc chiite monolithique, coagulé dans sa revanche, majoritaire. Les sunnites s'abstiendront en masse : seuls 2 % d'entre eux iront voter. Ils ne disposent que de 17 sièges sur les 275 que compte le nouveau Parlement.

2005 : Mahmoud Ahmadinejad visite Jamkaran avant et après son élection à la présidence iranienne. Il croit à la résurrection de l'imam caché et indique que « le droit de l'Iran à la technologie nucléaire est une des solutions qui préparent le retour de l'imam ». Après son élection, Ahmadinejad fait signer à tous les ministres un pacte destiné à l'imam caché. Le ministre de la Guidance islamique va jeter la missive dans le puits mystérieux, à Jamkaran.

7 juin 2006 : Liquidation d'Abou Moussab al-Zarkaoui, chef d'Al-Qaida en Irak, par les Américains. Zarkaoui était notoirement opposé aux chiites.

Attentats de 2006 à Samarra
Destruction du dôme de la Mosquée d'or et de ses deux minarets (en 2007), là où disparut le douzième imam dont les chiites attendent le retour. Les chiites, passant outre aux supplications de l'ayatollah Sistani, qui a toujours plaidé contre le recours aux armes, décident de se venger. La milice de Moqtada al-Sadr veut prendre d'assaut la ville sainte de Nadjaf malgré l'opposition du modéré ayatollah Sistani. Le chaos va réactiver tous les réflexes liés aux mythologies de la fin des temps. Moqtada al-Sadr n'est pas le seul à appeler au retour du Mahdi, l'imam caché. Dans l'Iran voisin, les hommes au pouvoir estiment que la réapparition de l'imam pourrait se produire au terme de bouleversements énormes, dont le drame irakien est la préfiguration. D'autant qu'il existe un lien étroit entre l'Irak et l'Iran dans la géographie mystique de cette résurrection. Car si le douzième imam a disparu à Samarra, il doit réapparaître à Jamkaran, en Iran, près de la ville sainte de Qom. Cette révélation aurait été faite au Xe siècle à un humble paysan. A cet endroit on édifia un mausolée qui, depuis mille ans, accueille tous ceux qui espèrent la venue du Mahdi.

2006 : Bandar Ben Sultan, ancien ambassadeur séoudien à Washington, alimente en armes les groupes sunnites au Liban pour s'opposer au Hezbollah. L'Iran, qui soutient le Hezbollah, « récupère » la cause palestinienne, la seule cause dont tous les musulmans se disent solidaires.

Juillet-août 2006 : Guerre au Liban entre le Hezbollah et l'armée israélienne. Le mouvement chiite au Liban en sort renforcé. Les wahhabites ripostent : des fatwas anti-chiites exhortent les sunnites à ne pas tomber dans les bras du Hezbollah. Le président égyptien Hosni Moubarak dénonce les « communautés chiites qui, partout, font allégeance à Téhéran ».

Septembre 2006 : L'Egypte annonce la reprise de son programme nucléaire. Après la guerre de l'été 2006 entre Israël et le Hezbollah, les sunnites prennent peur devant la puissance du mouvement chiite et face à la menace d'une bombe nucléaire iranienne.

Novembre 2006 : Une « Organisation des Moudjahidin du Liban » appelle les « sunnites libanais à se dresser contre les chiites qui veulent dominer le Liban dans sa totalité ».

Novembre 2006 : A Bahreïn, gouverné par une dynastie sunnite, les premières élections libres ont donné près de la moitié des sièges aux chiites (70 % de la population). Il s'agit d'ultra-conservateurs qui doivent coexister avec des islamistes sunnites. En 1995, des émeutes avaient déjà secoué l'émirat.

30 décembre 2006 : Au premier jour de la grande fête religieuse de l'Aïd, le sacrifice d'Abraham, Saddam Hussein est pendu. Insulté par des hommes masqués alors qu'il prononce la Chahada, la profession de foi musulmane de tout croyant qui va mourir, il termine sa prière sous les insultes et aux cris de « Moqtada ! Moqtada ! », avant de basculer dans la trappe. Les chiites ont enfin pris leur revanche sur l'homme qui fit tuer 40 000 d'entre eux pendant l'insurrection qui suivit les derniers jours de la guerre du Golfe, en 1991.

Décembre 2006 : Le Conseil de coopération du Golfe, qui regroupe l'Arabie Séoudite, Bahreïn, Oman, le Qatar, les Emirats arabes unis et le Koweït, adopte un programme nucléaire commun. Officiellement, il n'est question que de nucléaire civil. Le front sunnite est en ordre de bataille.

Janvier 2007 : Un rapport des Nations unies estime que 34 000 civils irakiens sont morts en 2006.

Janvier 2007 : Affrontements entre sunnites et chiites à Beyrouth après le déclenchement d'une grève générale par le Hezbollah et ses alliés.

Mars 2007 : Un attentat anti-chiite à Tal Afar, dans le nord de l'Irak, fait plus de 150 victimes. En représailles, des chiites massacrent 70 sunnites.

Avril 2007 : Un mur est construit à l'intérieur de la ville de Bagdad afin de séparer une enclave sunnite de la population chiite et de limiter ainsi les violences sectaires dans la capitale.

Mai 2007 : La création d'un tribunal international pour juger les assassins de Rafic Hariri, Premier ministre sunnite tué en février 2005, est initiée par les Etats-Unis, la France et la Grande-Bretagne. Le Conseil de sécurité de l'ONU adopte à cet effet la résolution 1757. Les partisans de Hariri, et plus largement les opposants à la présence syrienne au Liban, sont convaincus de l'implication de la Syrie à travers son allié chiite au Liban, le Hezbollah.

Juillet 2007 : Au Nigeria, dans le nord-ouest du pays, à Sokoto, aux confins du Sahara, un quartier chiite est assiégé par une foule sunnite.

1ᵉʳ août 2007 : En Irak, six ministres sunnites quittent le gouvernement d'union nationale contrôlé par les chiites, en signe de protestation contre la lenteur du processus de réconciliation et de reconstruction du pays.

Août 2007 : Le Hizbut-Tahrir, un courant intégriste sunnite indonésien qui compte deux millions de partisans, réunit cent mille personnes pour réclamer la résurrection du califat dans tout le monde islamique. Ce contre quoi le chiisme se bat depuis le début de l'islam !

Août 2007 : La minorité yézidie (chiite), dans le nord de l'Irak, fait l'objet de plusieurs attentats.

Août 2007 : Le chef de milice chiite irakien Moqtada al-Sadr accepte une trêve de six mois durant laquelle il fait cesser tout combat à son armée.

Septembre 2007 : Blocage institutionnel au Liban où les parlementaires n'arrivent pas à se mettre d'accord sur la formation d'un gouvernement d'union nationale et sur l'amendement de la loi électorale pour les prochaines élections législatives. Les anti-Syriens, dont le sunnite Courant du Futur, s'opposent aux pro-Syriens, représentés au premier chef par le Hezbollah chiite.

Septembre 2007 : Le groupuscule Fath Al-Islam, qui ne compte que 10 % de Palestiniens et qui est implanté dans le camp palestinien de Nahr el-Bared au Liban-Nord près de la ville de Tripoli, veut déstabiliser le Hezbollah. Les Etats-Unis interviennent pour bloquer l'argent destiné au mouvement, qui se révolte et se proclame d'Al-Qaida. Finalement, l'opération est un échec.

L'armée libanaise désarme le groupe après cinq mois de combats acharnés.

Janvier 2008 : Une étude de l'Organisation mondiale de la santé estime à environ 150 000 le nombre d'Irakiens décédés « pour faits de guerre » depuis le début des hostilités jusqu'en juin 2006.

12 février 2008 : Imad Moughnieh, cadre important du Hezbollah au Liban, est assassiné à Damas, en Syrie. Il était recherché par Interpol pour des attentats qu'il avait organisés ou commis depuis plus de vingt ans.

22 février 2008 : Moqtada al-Sadr suspend à nouveau les activités de l'« armée du Mahdi » pour une seconde période de six mois.

Mars-mai 2008 : Des affrontements entre les forces gouvernementales irakiennes et les partisans de Moqtada al-Sadr à Bassorah et dans les quartiers chiites de Bagdad font près d'un millier de morts.

Mai 2008 : A la suite de la décision du gouvernement libanais de démanteler le réseau de télécommunications du Hezbollah, celui-ci prend le contrôle de Beyrouth-Ouest après trois jours de combats contre les milices sunnites qui appuient le gouvernement. Le 14 mai, ce dernier doit faire machine arrière et le réseau est maintenu. Une médiation de la Ligue arabe et du Qatar aboutit alors à la conclusion de l'accord de Doha, prévoyant l'élection d'un président de la République, la formation d'un gouvernement d'union nationale et la levée du siège du centre de Beyrouth organisé par l'opposition chiite et ses alliés depuis la fin 2006.

25 mai 2008 : Michel Sleimane, commandant en chef de l'armée libanaise, est élu président de la République.

Juillet 2008 : Au Liban, le Premier ministre sunnite Fouad Siniora forme un gouvernement d'union nationale dont seize portefeuilles sont attribués à la majorité anti-syrienne. L'opposition du Hezbollah et de ses alliés obtient onze ministères, tandis que trois membres du cabinet sont nommés par le chef de l'Etat et le président du Parlement, Nabih Berri (chiite).

Juillet-août 2008 : Affrontements intercommunautaires à Tripoli, au nord du Liban, entre le quartier alaouite de Jabal Mohsen et le quartier sunnite de Qobbé.

9 septembre 2008 : George W. Bush annonce le retrait de 8 000 soldats américains d'Irak pour février 2009.

Septembre 2008 : Au Liban, ouverture d'un dialogue natio-nal entre les dirigeants des quatorze partis politiques ayant signé l'accord de Doha en mai 2008. Les discussions por-tent notamment sur les relations entre l'armée libanaise et la milice du Hezbollah qui contrôle la frontière avec Israël au Liban-Sud.

1er janvier 2009 : Début du retrait américain d'Irak.

31 janvier 2009 : Premières élections nationales en Irak depuis le 30 janvier 2005. Elles sont remportées par le parti Dawa du Premier ministre Nouri al-Maliki. La par-ticipation des sunnites, qui avaient largement boycotté les élections précédentes, s'élève à 40 %.

Mars 2009 : Ouverture à La Haye d'un Tribunal spécial pour le Liban chargé de statuer sur les attentats ciblés perpétrés depuis 2004, qui ont visé exclusivement des personnalités anti-syriennes.

Mars-avril 2009 : Une série d'attentats fait plus de 700 morts en Irak.

Mai 2009 : La très grande majorité des forces britanniques se retire d'Irak.

7 juin 2009 : Au Liban la coalition anti-syrienne remporte les élections législatives. Saad Hariri, fils du Premier ministre assassiné, est chargé de former le nouveau gouvernement.

12 juin 2009 : Mahmoud Ahmadinejad est réélu avec force président de la République islamique d'Iran avec un chiffre officiel de plus de 60 % des voix. Le « printemps iranien » est sauvagement réprimé.

Octobre 2009 : En Irak, des attentats contre le ministère de la Justice et le siège du gouvernorat de Bagdad font plus de 150 victimes.

Novembre 2009 : Un nouveau gouvernement d'union nationale est formé au Liban par le Premier ministre Saad Hariri.

Décembre 2009 : Une nouvelle loi électorale est votée en Irak. Elle permet aux minorités d'être mieux représentées au Parlement.

7 mars 2010 : Elections législatives en Irak, remportées par le chiite Iyad Allaoui.

Mai 2010 : Recrudescence des attentats terroristes en Irak.

Mai 2010 : Le gouvernement israélien accuse la Syrie de livrer des missiles Scud (irakiens) au Hezbollah libanais.

Mai 2010 : Le Premier ministre turc Recep Tayyip Erdogan et le président brésilien Lula concluent un accord avec le président iranien sur un échange de technologie nucléaire, sortant partiellement l'Iran de son isolement diplomatique.

4 juillet 2010 : Décès de l'ayatollah libanais Mohammad Hussein Fadlallah, longtemps considéré comme un inspirateur du Hezbollah.

Juillet 2010 : Le secrétaire général du Hezbollah Hassan Nasrallah annonce que des membres de son parti vont être mis en cause par le tribunal international de l'ONU dans le cadre de l'enquête sur l'assassinat de Rafic Hariri, anticipant les déclarations du Tribunal spécial pour le Liban.

Août 2010 : La fin de l'opération « Iraqi Freedom » est annoncée par le président Obama.

Octobre 2010 : D'après des informations diffusées par Wikileaks, le nombre d'Irakiens morts depuis le début des hostilités est de 109 000 personnes dont 66 000 civils.

Octobre 2010 : Le président Ahmadinejad effectue une visite controversée au Liban et il est chaleureusement accueilli dans le sud du pays, fief du Hezbollah.

Novembre 2010 : Le Hezbollah met en garde le Tribunal spécial pour le Liban et ses partisans libanais : « La main qui se tendra pour arrêter l'un des nôtres sera coupée. » Les tensions entre chiites et sunnites sont exacerbées par l'enquête internationale.

Décembre 2010 : Le gouvernement irakien de Nouri al-Maliki comprend 20 chiites, 10 sunnites, 4 Kurdes et un chrétien, respectant l'accord de partage du pouvoir entre les trois grandes communautés.

Décembre 2010 : L'immolation par le feu d'un jeune Tunisien inaugure les « printemps arabes ». Le soulèvement tunisien, qui conduit à la chute de Ben Ali, est suivi par l'Egypte, la Libye, Bahreïn, le Yémen et la Syrie.

Janvier 2011 : Le leader chiite radical anti-américain Moqtada al-Sadr revient en Irak après quatre années passées en Iran.

Janvier 2011 : Au Liban, le gouvernement d'union nationale chute après la démission des ministres du Hezbollah et de ses alliés, qui protestent contre l'enquête internationale. Le Parlement apporte alors son soutien à Najib Mikati face à Saad Hariri pour le poste de Premier ministre.

14 février 2011 : Début de la contestation à Bahreïn, Etat majoritairement chiite gouverné par une minorité sunnite. Les manifestants revendiquent un régime démocratique et une meilleure répartition des richesses. Les chiites sont en effet discriminés dans l'accès aux emplois dans l'administration et les entreprises publiques, et plus touchés par le chômage (20 à 30 % de la population totale selon l'opposition). A la suite d'une grève générale et d'affrontements, le bilan des arrestations s'élève à plusieurs centaines de personnes et à des dizaines de disparus. Des dizaines de mosquées chiites sont détruites.

Mars 2011 : Début de la contestation en Syrie contre Bachar el-Assad et le parti Baas, au pouvoir depuis 1963.

Avril 2011 : 34 personnes sont tuées lors d'un raid de l'armée irakienne dans le camp d'Ashraf au nord de Bagdad, qui abrite des membres de l'opposition iranienne au gouvernement irakien.

Avril-mai 2011 : Le président syrien entend détruire la contestation, dans laquelle il voit un complot étranger et islamiste. Des blindés s'opposent aux manifestants dans les régions de Daraa, Banias, Homs et dans la banlieue de Damas. Les sanctions américaines et européennes sont renforcées malgré une amnistie présidentielle partielle qui permet la libération de plusieurs prisonniers politiques en Syrie.

2 mai 2011 : Un commando américain tue Oussama Ben Laden au cours d'une opération au Pakistan.

Juin 2011 : Le Tribunal spécial pour le Liban remet au procureur à Beyrouth un acte d'accusation assorti de quatre mandats d'arrêt dans l'affaire de l'assassinat de Rafic Hariri.

Septembre-octobre 2011 : Le bilan s'alourdit en Syrie avec 2 200 tués et près de 10 000 personnes emprisonnées. Un Conseil national syrien est créé afin d'organiser l'opposition et de préparer l'après-Assad. Mais les vetos russe et chinois bloquent toute résolution au Conseil de sécurité de l'ONU.

Mars 2012 : Les villes syriennes de Damas et Homs sont soumises à des bombardements intensifs. Damas est le théâtre de deux attentats. La Syrie « donne son accord », à la demande du Conseil de sécurité de l'ONU, d'appliquer le plan de paix proposé par Kofi Annan. La Chine et la Russie l'acceptent après de légères modifications. Mais cet accord n'est contraignant pour aucune des parties en conflit.

Juin 2012 : L'armée syrienne abat un avion turc. L'OTAN apporte son soutien à la Turquie. Le représentant de l'ONU Hervé Ladsous estime que la Syrie est entrée dans une phase de guerre civile générale. Les observateurs de l'ONU suspendent leurs opérations.

Mai-août 2012 : A Tripoli au nord du Liban, des accrochages entre pro-Syriens du quartier alaouite de Jabal Mohsen et anti-Syriens du quartier sunnite de Bab el-

Tebbaneh font 11 morts et 86 blessés en quatre jours, dont un jeune cheikh sunnite, Khaled el-Baradei.

Octobre 2012 : Un attentat meurtrier à Beyrouth tue le chef des renseignements de la police libanaise Wissam al-Hassan. La Syrie est pointée du doigt par la communauté internationale ainsi que par le camp anti-syrien au Liban, tandis que le Hezbollah et ses alliés affichent leur scepticisme quant à cette hypothèse.

L'arbre de l'islam

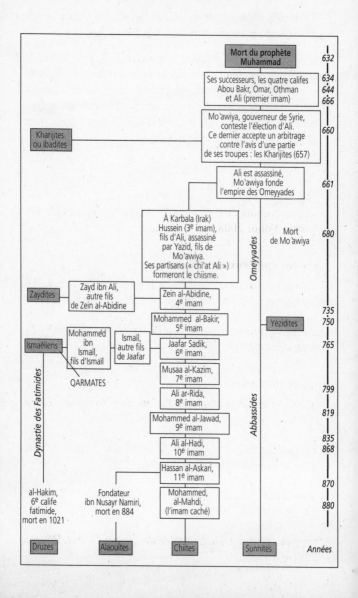

Mort du prophète Muhammad — 632

Ses successeurs, les quatre califes Abou Bakr, Omar, Othman et Ali (premier imam) — 634 / 644 / 666

Kharijites ou Ibadites

Mo'awiya, gouverneur de Syrie, conteste l'élection d'Ali. Ce dernier accepte un arbitrage contre l'avis d'une partie de ses troupes : les Kharijites (657) — 660

Ali est assassiné, Mo'awiya fonde l'empire des Omeyyades — 661

À Karbala (Irak) Hussein (3e imam), fils d'Ali, assassiné par Yazid, fils de Mo'awiya. Ses partisans (« chi'at Ali ») formeront le chiisme. — 680 — Mort de Mo'awiya

Omeyyades

Zaydites

Zayd ibn Ali, autre fils de Zein al-Abidine

Zein al-Abidine, 4e imam — 735 / 750 — Yézidites

Mohammed al-Bakir, 5e imam

Ismaéliens

Mohamméd ibn Ismaïl, fils d'Ismaïl

Ismaïl, autre fils de Jaafar

Jaafar Sadik, 6e imam — 765

QARMATES

Musaa al-Kazim, 7e imam

Dynastie des Fatimides

Ali ar-Rida, 8e imam — 799

Mohammed al-Jawad, 9e imam — 819

Ali al-Hadi, 10e imam — 835 / 868

Abbassides

Hassan al-Askari, 11e imam — 870

al-Hakim, 6e calife fatimide, mort en 1021

Fondateur ibn Nusayr Namiri, mort en 884

Mohammed, al-Mahdi, (l'imam caché) — 880

Druzes | Alaouites | Chiites | Sunnites

Années

Bibliographie indicative

Le Coran, traduction de Denise Masson, Gallimard, collection Folio, 2008.

Numéros spéciaux de revues

Les Collections de l'Histoire, « L'islam et le Coran. Un livre, une religion, des empires », n° 30, février 2006.

Questions internationales, « Islam, islams », n° 21, septembre-octobre 2006.

Atlas et dictionnaires

DUPONT Anne-Laure, *Atlas de l'islam dans le monde. Lieux, pratiques et idéologie*, Autrement, 2005.

Encyclopédie Universalis, *Dictionnaire de l'islam : religion et civilisation*, Albin Michel, 1997.

SELLIER Jean, SELLIER Andrée, *Atlas des peuples d'Orient*, La Découverte, 2004.

SFEIR Antoine (dir.), *Dictionnaire du Moyen-Orient*, Bayard, 2011.

Histoire et civilisation

CAHEN Claude, *L'Islam. Des origines au début de l'Empire ottoman*, Hachette, 1997.

DELCAMBRE Anne-Marie, *Mahomet, la parole d'Allah*, Gallimard, collection Découvertes, 1994.

MERVIN Sabrina, *Histoire de l'islam. Fondements et doctrines*, Flammarion, collection Champs, 2010.

SFEIR Antoine, *Brève histoire de l'islam à l'usage de tous*, Bayard, 2007.

Période contemporaine

LOUËR Laurence, *Chiisme et politique au Moyen-Orient. Iran, Irak, Liban, monarchies du Golfe*, Autrement, 2008.

LOUËR Laurence, *Transnational Shia Politics : Religious and Political Networks in the Gulf*, Columbia University Press, 2008.

MERVIN Sabrina, *Les Mondes chiites et l'Iran*, Karthala, 2007.

NAKASH Yitzhak, *Reaching for Power. The Shia in the Modern Arab World*, Princeton University Press, 2006.

NASR Vali, *The Shia Revival. How conflicts within Islam will shape the Future*, Norton, 2006.

ROY Olivier, BAYART Jean-François, ADELKHAH Fariba, *Thermidor en Iran*, Complexes, 1993.

THUAL François, *Géopolitique du chiisme*, Arléa, 2002.

PROJET AMERICAIN DE RESTRUCTURATION
DU MOYEN-ORIENT

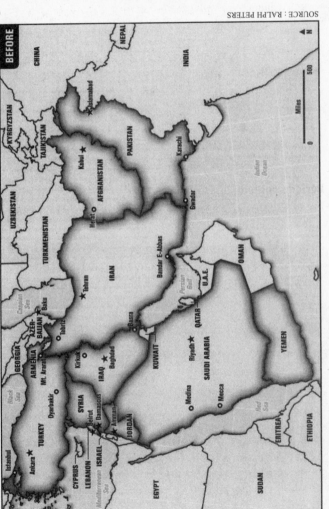

I. Le Moyen-Orient aujourd'hui.

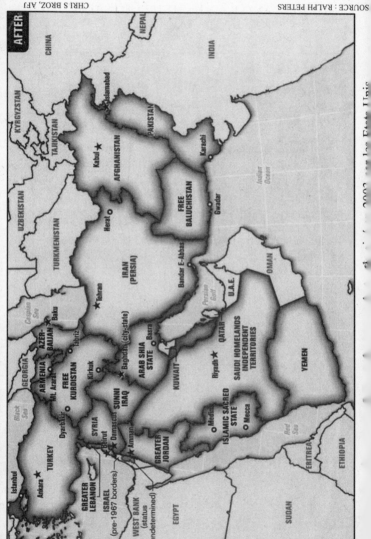

AFTER

TURKEY
Istanbul
★ Ankara
Black Sea
GEORGIA
ARMENIA
AZER-
BAIJAN
Baku
Caspian Sea
Diyarbikir
Mt. Ararat
FREE
KURDISTAN
Tabriz
Kirkuk
★ Tehran
IRAN (PERSIA)
GREATER
LEBANON
Beirut
Damascus
SYRIA
SUNNI
IRAQ
Baghdad (city-state)
Basra
ARAB SHIA
STATE
Bandar E-Abbas
ISRAEL
(pre-1967 borders)
Amman
GREATER
JORDAN
KUWAIT
Persian Gulf
QATAR
U.A.E.
OMAN
WEST BANK
(status
undetermined)
Medina
ISLAMIC SACRED
STATE
Mecca
Riyadh ★
SAUDI HOMELANDS
INDEPENDENT
TERRITORIES
EGYPT
Red Sea
YEMEN
SUDAN
ERITREA
ETHIOPIA
Herat
★ Kabul
AFGHANISTAN
TURKMENISTAN
UZBEKISTAN
TAJIKISTAN
KYRGYZSTAN
CHINA
NEPAL
Islamabad
PAKISTAN
Karachi
FREE
BALUCHISTAN
Gwadar
Indian
Ocean
INDIA

Table

TROISIÈME PARTIE
Géopolitique du chiisme actuel

ANNEXES

Du même auteur :

L'ARGENT DES ARABES, Hermé, 1992.

LES RÉSEAUX D'ALLAH, Plon, 1997.

L'ATLAS DES RELIGIONS *(sous la direction)*, Perrin, 1993 ; rééd. 1999.

DICTIONNAIRE MONDIAL DE L'ISLAMISME *(sous la direction)*, Plon, 2002.

DIEU, YAHWEH, ALLAH. *Les grandes questions sur les trois religions* (avec Michel Kubler et Katia Mrowic), Bayard Jeunesse, 2004.

LIBERTÉ ÉGALITE ISLAM. *La République face au communautarisme* (avec René Adrau), Tallandier, 2005.

TUNISIE, TERRE DE PARADOXES, L'Archipel, 2006.

VERS L'ORIENT COMPLIQUÉ, Grasset, 2006.

DICTIONNAIRE GÉOPOLITIQUE DE L'ISLAMISME *(sous la direction)*, Bayard, 2009.

ORIENT-OCCIDENT, LE CHOC ? *Les impasses meurtrières* (avec Christian Chesnot), Le Livre de Poche, 2010.

BRÈVE HISTOIRE DE L'ISLAM À L'USAGE DE TOUS, Bayard, 2012.

Le Livre de Poche s'engage pour
l'environnement en réduisant
l'empreinte carbone de ses livres.
Celle de cet exemplaire est de :

250 g éq. CO₂
Rendez-vous sur
www.livredepoche-durable.fr

PAPIER À BASE DE
FIBRES CERTIFIÉES

Composition réalisée par NORD COMPO

Imprimé en France par CPI
en novembre 2015
N° d'impression : 3014029
Dépôt légal 1ʳᵉ publication : juin 2014
Édition 09 - novembre 2015
LIBRAIRIE GÉNÉRALE FRANÇAISE
31, rue de Fleurus - 75278 Paris Cedex 06

31/5654/4